Chroniques de Las Vegas

Catalogage avant publication de Bibliothèque et Archives nationales du Québec et Bibliothèque et Archives Canada

Vetere, Barbara Chroniques de Las Vegas

ISBN 978-2-923656-18-2

Éditeur: François Martin

Révision: Geneviève Breuleux

Mise en page : Storezone

Conception et montage de la page couverture: Faustin Bouchard

Distribution: Groupéditions Éditeurs et Messageries de Presse Benjamin

GROUPÉDITIONS ÉDITEURS,
C.P. 88030, CSP Vieux-Longueuil, Longueuil (Québec) J4H 4C8
Téléphone: (514) 461-1385 Télécopieur: (514) 461-1386
info@groupeditions.com
www.groupeditions.com

Chroniques de Las Vegas
ISBN 978-2-923656-18-2

Dépôt légal - Bibliothèque et Archives nationales du Québec, 2010
Dépôt légal - Bibliothèque et Archives Canada, 2010

Barbara Vetere

Chroniques de Las Vegas

À Yves Frulla,
Viviane Rheault,
Yves, Vincent et
Sarah-Jeanne Aucoin

Remerciements

Mes remerciements les plus sincères à Nathalie Clerc,
la première à avoir cru en ce livre ;

À Céline et à René, sans qui cette expérience à Las Vegas
n'aurait jamais existé ;

À Viviane Rheault, pour tout ;

À Yves Frulla, pour encore plus que tout ;

À Maman, à mes frères et à leur famille qui acceptent mon exil ;

À mes amis, d'ici et de là-bas ;

À François et à Johanne pour votre grande générosité ;

À C.J., mon Américaine préférée ;

Merci à feux Azrael et Gargamel,
leur présence complétait mon univers

Prologue

15 décembre 2007

Ce soir, le rideau se refermera pour la dernière fois sur le spectacle A New Day. C'est la grande finale, la fin, la vraie. Céline et son équipe feront leurs derniers pas sur la grande scène du Colosseum. Moi, j'assisterai pour la dernière fois à ce spectacle, si souvent vu. Je suis fébrile, il y a beaucoup d'émotions dans l'air. Tout le monde est là, tout le monde est beau, beau comme un soir de première. En fait, la première c'était hier, non?!

Non, cela fait six ans déjà. Comment ces six années ont-elles pu passer si vite? Moi qui, dès mon arrivée, marquais d'une croix, dans mon beau calendrier de Montréal, chacune des journées qui passaient. Je n'ai pas vu le temps passer! À quel moment ai-je traversé le miroir? Enfant du froid et de la neige, quand me suis-je mise à détester l'hiver? Depuis quand je ressens des frissons quand je pense à mon éventuel retour au Québec? Je sais bien que nous devrons revenir tôt ou tard, pourtant, je fuis cette pensée de toutes mes forces. Je n'aurais jamais imaginé me retrouver dans cette situation. Je tourne le dos à ma ville natale, et pourquoi? Pour Las Vegas? Est-ce vraiment possible?

Hiver 2002

Cette aventure a débuté bien avant notre départ pour Las Vegas. Depuis presque deux ans maintenant, mon compagnon de vie, Yves Frulla, que je surnomme affectueusement « mon musicien », et moi menons une existence plutôt calme. Je travaille dans le domaine de la mode depuis près de 10 ans. Je suis à l'emploi d'une compagnie que j'aime. Tout me plaît, mes collègues, mon boulot. Je supporte plutôt bien cet horaire aliénant du 9 à 5. Ma vie sociale se porte très bien, je suis entourée d'amis. Je sors souvent et j'ai beaucoup de plaisir. Yves et moi venons enfin de terminer les rénovations de notre condo situé dans un des quartiers les plus branchés de Montréal. Yves est claviériste; il ne vit que pour et par la musique, un vrai passionné. Cela me donne parfois l'impression que nous formons un ménage à trois! Son travail et sa détermination lui ont permis de vivre quantité d'événements extraordinaires et d'être aussi, et surtout, l'un des musiciens d'une très célèbre chanteuse, Céline Dion. Or, depuis deux ans, Céline se repose. Yves fait partie d'une émission de variétés d'une chaîne de télévision populaire et moi je m'épanouis au boulot. Après 10 ans sur la route à parcourir le monde, il est content d'être ici, à la maison. Moi, par contre, j'ai des fourmis dans les jambes. J'en ai un peu marre de nos destinations soleil, autant des plages de Cuba que de toutes celles du Sud. J'ai envie de visiter le reste de la planète, de bouger. Lorsque je fais la queue à la caisse, à l'épicerie, je scrute souvent les journaux et magazines à potins, question de suivre (discrètement, je dois le préciser) la vie de Céline. Je voudrais savoir où elle en est et surtout à quand le grand retour sur scène. Au moment où je commençais à enfin lâcher prise, Yves et moi avons eu vent qu'un projet « top secret », impliquant la célèbre chanteuse, serait bientôt dévoilé. Et voilà, la machine à rumeurs qui s'emballe. Immanquablement, tout le monde a sa petite idée sur le sujet et les spéculations vont bon train. Les spéculateurs détiennent, selon eux, la vérité absolue et nous devons presque prêter serment, main sur la bible, pour avoir droit aux détails. Ceux qui prétendaient être dans le secret des dieux nous faisaient part de leur version qui différait de celles des autres, à un point tel que j'en étais arrivée à ne plus vraiment prêter l'oreille à tout cela. En effet, quelques mois plus tard, c'est dans un bar du boulevard Saint-Laurent, un endroit sombre, enfumé et pas très vaste, fréquenté surtout par des gens du showbiz québécois, que j'ai pu en apprendre un peu plus. Certes, je dois reconnaître que j'ai dû user d'un peu d'alcool ainsi que d'un soupçon de séduction, car mon interlocuteur semblait bien au fait. Le chat est enfin sorti du sac. Las Vegas m'est apparu! Était-ce un informateur sérieux et de confiance? Auparavant, je n'avais jamais entendu parler de Las Vegas de façon aussi précise. Hum, ça me semblait un peu fort. En tout cas, j'étais franchement excitée par l'idée! Mon musicien discutait à l'autre bout de la table. J'avais beau lui faire des signes en douce, il ne me portait aucune attention. Je devais aussi me contenir un peu car j'avais promis à mon interlocuteur de ne rien répéter. Ce que je me suis évidemment empressée de faire à la première occasion. Après tout, mon musicien était concerné, non? J'avais l'impression d'avoir enfin découvert le fameux secret de la caramilk. Nous n'avons pas eu à attendre trop longtemps pour découvrir que mon interlocuteur avait visé dans le mile. C'était fondé, la proposition nous est parvenue : LAS VEGAS, un spectacle permanent sur une période initiale de trois ans. Une fois tous les détails et les implications de ce projet connus, une période de réflexion a débuté. Soudainement, je me sentais moins excitée. En effet, finie l'excitation reliée aux grandes tournées mondiales. Maintenant, nous serons cantonnés dans la même ville, dans le même théâtre, jour après jour. Par contre, nous n'aurons plus - Yves plus que moi - à subir les décalages horaires, à vivre dans les valises. Terminés aussi les comptes astronomiques d'interurbains et, ce qui est bien dommage, l'accumulation de milliers de points air miles. Mais les États-Unis? Il y a aussi des casinos à Monaco. Je sais, il y en a aussi à Atlantique City! De Las Vegas nous ne connaissons rien, ou à peu près rien. La Strip et la route pour se rendre au Grand Canyon. Le désert qui est magnifique, la Californie et ses plages à proximité. L'Utah pour le ski, et Napa Valley pour le vin. Mais vivre en permanence à Las Vegas pendant plusieurs années? Après de nombreuses et interminables discussions au cours desquelles nous considérions et reconsidérions le pour et le contre, sans compter les discussions et re-discussions avec nos familles et nos proches, nous avons finalement choisi de vivre ce projet hors de l'ordinaire. L'opportunité de relever ce nouveau défi ensemble nous a semblé être une expérience exaltante. Donc, durant l'année précédant notre départ, nous avons imaginé, anticipé notre vie future à Las Vegas. Bref, nous avons vécu une année complète dans notre bulle à fabuler sur notre future nouvelle vie. Notre jolie bulle devait éclater le premier jour de notre arrivée à Las Vegas. Nous pensions acheter rapidement notre nouvelle et merveilleuse maison. Cette première rencontre avec Las Vegas nous a laissés pantois!

C'est « ça », Las Vegas?

Voici presque un an que nous avons pris la décision de quitter Montréal pour aller vivre l'aventure de Las Vegas. La prochaine étape consiste à nous dénicher un endroit où vivre. Devons-nous louer ou acheter une maison? Faut-il louer notre condo du Plateau Mont-Royal ou le mettre en vente? Après mûre réflexion, il nous a semblé qu'acheter une maison à Las Vegas serait la meilleure chose à faire. Donc, c'est décidé, nous achèterons. Au diable notre beau condo rénové, nous vendons! D'ailleurs, c'est le bon moment pour vendre et nous trouverons certainement très vite un couple branché qui se meurt d'habiter dans un quartier aussi prisé. De plus, nous imaginons mal avoir à nous occuper de locataires à distance. Voilà une bonne chose de réglée. À présent, nous pouvons nous concentrer sur nos recherches, ce qui signifie, nous rendre à Las Vegas pour y dénicher la maison de nos rêves. Fort heureusement, nous n'étions pas laissés à nous-mêmes puisque l'organisation entourant le spectacle *A New Day* avait prévu un encadrement pour l'installation de son équipe. Nous pourrons bénéficier de l'aide d'une agence immobilière et des services conseils en relocalisation. Notre premier voyage (et le seul d'ailleurs) est planifié pour la mi-septembre. Yves et moi sommes accompagnés de mon frère décorateur et nous ne disposons que d'une courte semaine pour trouver une maison et conclure un achat aussi important. L'agent immobilier avec qui nous avons rendez-vous aura le lourd mandat de nous trouver LA maison que nous imaginons depuis des mois. En plein désert, le climat de Las Vegas est totalement différent de celui que nous connaissons au Québec avec ses hivers de plus en plus froids qui n'en finissent plus de finir sans oublier le printemps qui n'existe à peu près plus et les canicules qui se succèdent, l'été. Alors, ce climat désertique est pour moi semblable à celui d'une île du Sud, en plus sec. En fait, ce qui est important ici, est la CHALEUR, elle dure toute l'année, et moi, je préfère la chaleur! C'est pourquoi nous avons imaginé une maison spacieuse, sur un niveau, avec de grandes fenêtres partout, pour profiter au maximum de la lumière. D'autant plus que la lumière du jour se fait rare dans notre beau condo montréalais, situé au milieu de rangées de maisons bien alignées. Nous aimerions aussi des planchers de bois et de céramique. Nous avons décidé que notre maison comporterait au moins trois chambres, un bureau, une grande cuisine fonctionnelle et un minimum de deux salles de bains. Ah oui! Une cour avec patio serait appréciée, ainsi qu'une piscine et beaucoup de végétation tropicale, bref tout un mandat! Ce n'est pas que je sois devenue subitement une princesse mais je me dis qu'il arrive un moment dans la vie où l'on sait ce que l'on veut! J'ai tellement hâte de commencer à visiter les maisons. D'ailleurs, j'ai effectué sur Internet quelques visites virtuelles de maisons à vendre. Je suis anxieuse à l'idée d'avoir à choisir ma villa (!) en si peu de temps. J'espère que l'agent immobilier aura bien noté tous nos souhaits et que nous n'aurons pas à chercher trop longtemps.

Las Vegas

Nous voici enfin à Las Vegas. Or, notre première journée aura été catastrophique. D'ailleurs, et à ma grande surprise, notre premier rendez-vous n'était pas avec un agent immobilier mais plutôt avec la personne qui s'occupe de notre relocalisation. Nos premiers pas dans ville l'ont été pour effectuer le trajet de l'hôtel à son bureau. Nous nous sommes très rapidement rendu compte que Las Vegas ne ressemblait pas du tout à une métropole mais plutôt à une banlieue, à une gigantesque banlieue. J'avais beau regarder, je ne voyais que des centres commerciaux et des développements immobiliers, formés de maisons toutes semblables et qui ne correspondaient pas du tout à la villa de mes rêves. Lorsque nous sommes passés devant un parc de maisons mobiles, mes mains sont soudainement devenues moites. Je m'étais fait la promesse de ne jamais habiter en banlieue, ça se présentait plutôt mal.

Nous arrivons tant bien que mal au bureau de Madame relocalisation qui nous assistera tout au long de notre processus de relocalisation. J'ai du mal à me concentrer avec tout ce charabia technique. Je regarde autour, tout en rêvassant, je l'observe gentiment. Je l'écoute donc distraitement, tout ça me semble compliqué… les papiers, la banque, le crédit et l'hypothèque, le branchement du gaz, le téléphone, l'eau et l'électricité. Elle insiste aussi pour que nous lui donnions une liste d'articles qu'elle achètera personnellement pour nous, comme, par exemple, notre marque préférée de jus d'orange, de lait, etc. Nous demandant si nous préférions le beurre ou la margarine. Du frigo, elle passe à la salle de bain et s'enquiert de nos préférences pour le papier hygiénique, le savon, etc. Je me dis que tout ça est bien gentil mais que je préférerais trouver d'abord ma villa. Ensuite « Madame relocalisation » pourra bien s'occuper de ma première épicerie si cela peut lui faire plaisir! De toute évidence, elle est là pour nous aider.

Malgré son allure très femme d'affaires, assise derrière sa table de travail (dans un bureau minuscule), portant un tailleur fraîchement pressé, on dirait que peu à peu, elle change de rôle, qu'elle devient de plus en plus maternelle. Elle est sympathique, parle lentement et doucement. En fait, je pense qu'elle nous considère un peu comme si nous étions des enfants de cinq ans. Elle délaisse le côté affaires et la discussion devient plus intime.

Elle doit nous faire part de certaines mises en garde. Son ton de voix a changé. Je me dis : « elle va nous faire des confidences ou quoi? ». C'est ce qu'elle semble s'apprêter à faire mais avant de continuer, elle doit se désaltérer. Elle parle depuis si longtemps. Je ne vois pas de pichet d'eau ou de verre, ni sur la table de travail ni ailleurs dans la pièce. J'ai bien aperçu une distributrice d'eau dans la salle d'attente et j'espère qu'elle n'a pas l'intention de s'y rendre car, en raison de l'étroitesse des lieux, nous devrions tous nous lever pour lui laisser le passage. Mais rien de tout cela ne se produira : elle disparaît littéralement sous la table de travail! À peine disparue, elle réapparaît avec, dans les mains, un verre de la taille d'une véritable chaudière, rempli de Coca-Cola! Elle ajuste la paille et aspire un grand coup. Ah! Ça fait du bien! Enfin, elle dépose sa chaudière et reprend son monologue exactement là où elle l'avait laissé. Je n'ose pas regarder mon frère. Il va me faire une mimique et je vais éclater de rire.

J'ai donc les yeux rivés sur la poubelle lorsque je l'entends nous parler de serpents à sonnette, d'araignées au venin mortel et de coyotes. Elle nous demande :

« Vous avez des animaux?

– Oui, deux gros chats ».

C'est mon musicien qui lui répond, car moi, je suis déjà en train d'imaginer mes chats dans la gueule d'un serpent. J'en ai des frissons! « Mais ces serpents et autres petites bêtes si sympathiques, elles sont loin, loin dans le désert, non? O.K., alors, la villa sera à coup sûr très éloignée du désert! », me suis-je dit. Elle nous recommande donc de ne pas laisser nos chats sortir. Ça commence mal, eux qui, depuis plusieurs années, règnent en rois et maîtres dans notre ruelle du Plateau Mont-Royal!

Des animaux, nous passons aux humains. C'est-à-dire à nous, en fait à moi car maintenant, elle me fixe. La suite du monologue de Madame relocalisation m'a refroidie complètement :

« Pas de sorties seule le soir; toujours verrouiller les portières de la voiture; pas de magasinage seule dans les centres commerciaux. »

Et ce n'est pas fini :

« Pas de carte de crédit sur vous; pas de carte de guichet non plus; pas trop de pièces d'identité. Vous ne devez pas laisser trop longtemps votre courrier dans la boîte postale, et ensuite, vous devrez le passer à la déchiqueteuse avant de le mettre au recyclage. »

Plus elle parle, plus je m'enfonce dans ma chaise.

Au même moment, l'agent immobilier fait son apparition à la porte du bureau, plein d'énergie et souriant. Il se présente et me tend la main. Je suis blanche comme un drap! Au moins, il met fin à notre supplice. Nous nous levons pour quitter. Madame relocalisation nous raccompagne à la porte, nous la reverrons très bientôt. Mon musicien la remercie. Merci de quoi? De m'avoir traumatisée! Je lui fais quand même un sourire, assise dans la camionnette luxe de l'agent. J'essaie de retrouver une respiration normale. Je me sens, comment dirais-je, un peu angoissée, c'est le moins que je puisse dire. Je ne peux m'empêcher de regarder partout autour de moi et je m'agrippe à mon sac à main, au cas où!

À la recherche de ma « villa »

Je m'apaise en pensant que nous sommes enfin en route vers la villa de nos rêves. Nous voici devant la première maison, je l'examine de l'extérieur. Manifestement, cet agent n'a pas pris de notes sur nos attentes ou bien il les a passées trop rapidement à la déchiqueteuse!

Nous entrons (quand même) et, à peine la porte refermée derrière nous, une odeur nauséabonde nous frappe. Nous visitons rapidement le rez-de-chaussée, puis une fois à l'étage, n'en pouvant plus, je signale à l'agent que ça sent franchement mauvais. Il me répond que c'est le bébé. Le bébé? Voyons donc, n'importe quoi.

« Comment trouvez-vous cette maison? », nous demande l'agent. Je lui réponds que nous cherchons un rez-de-chaussée, avec une piscine de taille raisonnable et non un corridor. Ici ça pue. Si c'est vraiment à cause du bébé, hé bien, manifestement on ne lui a pas changé sa couche depuis sa naissance. *Next.*

Nous visitons une deuxième maison, puis une troisième et une quatrième. Toujours pas de villa de rêve à l'horizon, que des bungalows du style « pas mal tous pareils », mais avec des intérieurs variés. Certains sont recouverts de tapis mur à mur, de couleur blanc sale dans toute les pièces (incluant parfois même la salle de bain), ou encore de couleur turquoise « fond de piscine », vert gazon ou encore fuchsia. Les murs sont blancs ou recouverts de papier peint extrêmement fleuri. Pour ce qui est du mobilier, il est massif et de style italien, antique ou colonial, ou les trois à la fois! Sinon, l'endroit est pratiquement vide.

Finalement, il n y a que les toits de tuiles qui me plaisent. En ce qui a trait aux piscines, certaines sont si petites que s'y allonger est presque impossible. Il y a aussi les concepts de piscine/grotte avec chute. J'en ai assez, nous sommes épuisés. Il fait chaud, je me sens nauséeuse et nous rentrons à l'hôtel en silence. Je suis complètement découragée et à voir mon musicien, lui aussi. Dans l'ascenseur, mon frère tente de demeurer optimiste (nous devons vraiment faire pitié). Assise sur le lit, je repense à ma journée. Mon regard se brouille, mes yeux piquent. Je pense à notre condo rénové dans notre beau et populaire quartier de Montréal que nous allons vendre... pour acheter quoi? Je dois faire d'immenses efforts pour garder le moral, demain sera mieux, ça ne peut toujours pas être pire.

Las Vegas, c'est comme ça!

Durant la troisième journée de recherches intensives, nous n'avons toujours pas de villa et je suis vraiment au bord de la panique. C'est à ce moment que nous remarquons tous la même chose (à part l'agent immobilier). Il y a quelque chose d'étrange, mais quoi? Nous n'arrivons pas à savoir. Drôle de sensation. Nous nous concentrons et observons les alentours attentivement. Ça y est! Il n'y a pas de piétons sur les trottoirs, les pistes cyclables sont vides et les parcs, sans enfants.

Depuis le début des visites, nous n'avons vu personne, ni le matin, ni le midi ni même le soir. Nous en glissons un mot à notre agent qui est très surpris par notre remarque. Cet agent immobilier est anglais d'Angleterre. Il vit à Las Vegas depuis cinq ans et semble s'être très bien intégré. Il a tout de même conservé son accent *british*. Donc, pour notre agent, c'est tout à fait normal qu'il n'y ait personne sur les trottoirs ou dans les parcs : Las Vegas, c'est comme ça!

Détail amusant, notre agent n'a aucun sens de l'orientation. Pour aller d'une maison l'autre, il fait mille et un détours. Parfois, il se perd carrément et demande alors son chemin à mon musicien qui ne connaît absolument pas la ville. Il a tout de même su retrouver son chemin pour nous montrer sa grande maison, sa grande piscine, son grand garage avec sa Porsche jaune citron. Comme il est fier, notre jeune et ambitieux agent immobilier, prêt à nous faire acheter n'importe quoi!

Après trois jours, je suis sur le point d'abandonner les recherches. Invariablement, les bicoques que nous visitons se ressemblent toutes. On dirait que ce sont toutes les mêmes. Et le temps file, nous ne sommes pas ici à perpétuité, du moins pas encore! Le matin de la quatrième journée, nous repartons plus ou moins résignés à revivre une autre journée insipide. En début d'après-midi, j'allume! Je me souviens d'une maison que j'ai vue sur Internet. Je l'avais mise de côté car la cour semblait petite et parce qu'il n'y avait pas de piscine, sans compter son prix qui excédait le budget que nous nous étions fixé. Par contre, l'intérieur diffère de celui de toutes les maisons que nous avons visitées depuis trois jours. J'en parle à mon musicien, il se souvient bien de la maison et surtout de son prix. Pourquoi ne pas aller la voir, juste par curiosité? Nous l'avons si souvent visitée virtuellement qu'il serait agréable d'y être pour vrai et surtout, ça mettrait un peu de piquant dans notre journée. Il accepte! Je tente de me remémorer l'adresse ou du moins, le nom de la rue. Hum, concentration, rehummm. Eurêka! J'ai le numéro MLS sur un bout de papier dans mon portefeuille! Mon musicien m'interroge du regard. Pure coïncidence!

Rapidement, je donne le numéro à l'agent qui, cellulaire en main, fait un ou deux appels et obtient un rendez-vous sur-le-champ. Instantanément, je me sens pleine d'énergie, tellement excitée. C'est la première fois depuis notre arrivée que je me sens comme ça. Un signe?

Nous sommes enfin devant la maison. Oui, c'est bien elle! Je reconnais tout, la porte, les fenêtres, les fleurs et même les maisons aux alentours. Ah! Enfin, ma villa. De l'extérieur, elle fait plus villa de style espagnol que californien, mais bon. La porte d'entrée est magnifique. D'ailleurs, je n'ai pas vraiment eu le temps pour la contempler car dès que l'on a ouvert la porte, je me suis précipitée à l'intérieur. Je me retourne, mon groupe est encore dehors, attendant que la porte soit complètement ouverte pour entrer... Oups!

Au premier coup d'œil, je suis conquise. Je risque un regard vers mon musicien. Il me sourit, je lui souris. On a enfin trouvé. J'en ai les larmes aux yeux! D'immenses fenêtres, un rez-de-chaussée, des planchers de bois, de magnifiques persiennes sur toutes les fenêtres, de grandes pièces, une belle cuisine, trois salles de bain, deux foyers, et en prime, un immense mur de briques! À peu près tout est de bon goût. La cour est petite mais mignonne comme tout.

L'agent nous fait la remarque qu'il n'y a pas de piscine. Il m'exaspère, lui! Ne se rend-il pas compte que nous sommes en transe? Nous commençons notre liste de travaux : partira le tapis de couleur blanc sale des chambres et du salon, partira aussi la tapisserie fleurie. Que des futilités tout ça! Et la piscine? Nous en ferons tout simplement construire une. Voilà, tout est réglé, on signe où?

Mais mon musicien s'interroge, car la cour est bien petite. Peut-on vraiment y installer une piscine? Pour régler la question de la piscine, nous faisons immédiatement venir une entreprise qui en installe : « Pas de problème », nous dit le Monsieur piscine. Est-ce enfin réglé? Mais mon musicien est encore sceptique. Quoi encore? « Monsieur piscine vend des piscines, à coup sûr, il dit que c'est O.K. Il veut faire une vente, et alors? » Alors, nous faisons donc venir quelqu'un qui dessine des piscines, il est impartial. Même son de cloche de la part du dessinateur : petite piscine, mais faisable. Mon musicien est maintenant rassuré et nous pouvons maintenant procéder à une offre d'achat.

Notre agent, où est-il, lui? Parti! Manifestement épuisé par nos tribulations, nous apprenons qu'il a passé le relais à sa patronne ou associée. Elle, c'est C.J.! On dirait qu'elle sort d'une boîte à surprise. Une heure avec elle et vous faites partie de la famille. Tout un personnage! Nous l'avions brièvement rencontrée en début de semaine mais ne l'avions plus revue. Bref, c'est avec elle que nous conclurons la transaction. Nous quittons bien à regret notre villa pour nous rendre dans un endroit qu'elle qualifie de petit paradis, un petit bistrot français situé à proximité. Tiens, un bistro français! Depuis notre arrivée, des bistrots français, je n'en avais vus, aucun.

J'étais donc septique et bien curieuse de découvrir ce qu'elle nommait un « petit paradis ». Entouré d'un océan de bungalows, émerge soudain un petit centre commercial. C.J. met son clignotant et se dirige droit vers le stationnement. Ah! Je m'en doutais, un bistrot français dans un centre commercial, ça ne peut pas être un « vrai » bistro français. Elle stationne sa camionnette de luxe. Nous en descendons et nous nous dirigeons vers des portes coulissantes en verre si opaque qu'il nous est impossible de voir à l'intérieur. À notre approche, les portes s'ouvrent automatiquement et nous pénétrons subitement dans une tout autre dimension.

En un instant, Las Vegas s'est évanouie. À notre gauche, derrière un grand comptoir, se tient Madame bistrot qui nous accueille en français. Derrière elle, le menu et quelques affiches en français également. À notre droite, près du mur, une commode de bois rustique contenant plusieurs bouteilles de pétillant champagne et encore plus à droite, des réfrigérateurs pleins à craquer de bières importées et de bouteilles de blanc et de rosé. Au centre, des caisses de vin rouge forment les allées. Tout près du comptoir, un autre réfrigérateur, celui-là contenait des fromages. Au fond complètement, juste derrière les petites tables, se trouvent de grandes fenêtres et une porte. Le vitrage y est clair et nous pouvons facilement entrevoir la terrasse au bord du lac. Fantastique!

Notre agente nous propose de choisir une bonne bouteille qu'on nous servira à notre table, à l'extérieur. Il m'est impossible de me concentrer sur la paperasse à remplir. Je me sens si bien ici, c'est tellement charmant et confortable. Il y a ce grand gazebo de bois brun foncé, une cascade d'eau et un mignon petit pont de bois. Il y a des canards qui glissent sur l'eau et des tortues qui se font sécher au soleil, on dirait qu'elles ont été déposées là. Un peu plus loin, se trouve un pont formé d'une arche, tout en pierre, qui mène à notre « bientôt/prochaine villa ». J'essaie d'en évaluer la distance à pied, hum, je dirais cinq minutes. Génial!

Quelle belle journée! La découverte de la villa et maintenant, un endroit comme celui-ci, juste à proximité. Seul souci, la bouffe est-elle bonne, ici? Car, en fait, nous sommes toujours à Las Vegas. Pour le savoir, mangeons. J'opte pour la traditionnelle baguette jambon/brie avec Dijon, mon musicien choisit une salade de poulet et mon frère, un panini végétarien. Notre agente, elle, rien, elle est au régime à l'année, je suppose. Nos plats arrivent, voici le moment de vérité : C'est délicieux! Mon Dieu, je viens de trouver ma résidence secondaire!

L'offre d'achat complétée et notre repas terminé, nous quittons notre agente qui s'engage à communiquer avec nous le plus rapidement possible. Pour nous, c'est comme si c'était fait. Donc, nous pouvons relaxer un peu. Vite, nous rentrons à l'hôtel, vite dans nos maillots et vite à la piscine avec un drink à la main. Il fait une chaleur écrasante. Nous sommes dans un état euphorique. Nous pouvons maintenant rire et nous amuser un peu.

Le lendemain matin, nous recevons un appel de notre agente. Elle doit nous présenter une contre-offre. Mal de tête instantané, dû à la contre-offre ou aux drinks de la veille, je ne saurais dire. Nous la rencontrons dans un café et réglons le cas de ladite contre-offre. Elle nous mentionne qu'elle nous téléphonera au bureau de Madame relocalisation, car nous devons nous y rendre à nouveau. Cette fois-ci, j'ai bien l'intention de demeurer dans la salle d'attente. Je n'ai pas envie qu'elle mine mon moral encore une fois. Bien malgré moi, je me retrouve pourtant assise dans son minuscule bureau.

Notre calvaire est moins long, interrompu par l'appel de notre agente. Elle a de bonnes nouvelles pour nous et nous donne rendez-vous dans un pub situé dans le même centre commercial que le bistrot français. Je m'attends à découvrir un autre endroit fantastique. Je ne fais donc pas attention à l'extérieur de la bâtisse, toute blanche, sans fenêtre, dotée seulement d'une grande porte double en bois rouge pompier. Nous entrons, nous aboutissons sur une autre porte double en bois, encore plus rouge pompier que l'autre. Nous l'ouvrons, c'est tellement sombre, presque noir. Nous passons du jour à la nuit en une fraction de seconde. Tout est à peu près rouge là-dedans, la moquette, les murs. À droite, un grand bar en forme en S, des machines vidéo-poker sont encastrées dans le bar et des écrans plasma retransmettent des parties de football. Bien que nous soyons en début d'après-midi, il y a beaucoup de joueurs/buveurs/fumeurs qui semblent ne voir personne tellement ils sont rivés à leur machine à sous. Complètement au fond à gauche, la salle à dîner est à peine plus éclairée. Au centre, se trouvent des tables carrées, en bois très foncé, et des chaises de type capitaine. Tout autour des tables, contre les murs, il y a de grosses banquettes en forme de demi-lune, brun foncé et en vinyle rouge pompier. Pour ajouter de l'ambiance (j'imagine) un faux puits de lumière opaque où est peinte une reproduction de plante grimpante, probablement peinte par une serveuse entre deux clients. Nous repérons notre agente.

À la voir assise là, elle semble être dans son élément. Nous nous installons à sa table, complétons les documents, apposons quelques signatures en bas de page et ça y est, nous sommes officiellement propriétaires d'une villa à Las Vegas! Nous devons fêter ça. ICI? L'agente nous assure que la nourriture y est excellente, que c'est son endroit préféré. Donc, j'avais raison! Nous jetons un coup d'œil au menu : des steaks, des patates frites, des *fish'n'chips* et autres succulents choix de circonstance. Après avoir relu le menu au moins cinquante fois, nous nous résignons et commandons probablement des steaks, j'ai oublié. J'ai l'impression qu'il est minuit et que nous sommes là depuis des heures. J'ai besoin d'air et vite.

Comme il est encore tôt et que nous avons envie de nous détendre, nous nous rappelons que Madame relocalisation, outre ses mises en garde, nous a aussi parlé du désert, dont un endroit en particulier, où, paraît-il, nous pouvons voir des chevaux sauvages. Oui, oui, elle en a vus, elle. Elle dit même qu'ils sont venus à proximité de sa voiture, sans doute attirés par l'odeur de restants de Burger King. Oui, oui, elle a dit ça aussi! Comme nous n'avons pas de restants de *fast food* sous la main, nous décidons de nous rendre au Lake Mead, un lac formé par la construction d'un barrage, un lac « naturel » en plein désert, comme dit Madame relocalisation. Tant bien que mal, nous trouvons l'endroit.

C'est vraiment magnifique. Attirés par l'eau et la « presque plage de galets », nous nous décidons à faire une marche dans ce décor enchanteur. Nous sommes tellement heureux de la tournure des événements que nous faisons des plans pour la maison. Nous parlons pour la millième fois de la fameuse piscine. Une belle brise nous caresse la peau, nous relaxons enfin... jusqu'à ce que la brise se change en un instant en un fort vent, devenant soudainement une tempête de sable!

Nous avons peine à avancer contre le vent. Du sable, nous en avons partout, dans les cheveux, le nez, la bouche, les oreilles et les yeux. Le sable nous fouette, nous griffe le visage. Lorsque nous atteignons enfin la voiture, il nous fut presque impossible d'ouvrir les portières tellement le vent soufflait. Enfin, nous nous sommes réfugiés dans la voiture. C'était quoi ce bordel? Nous devions être là pour relaxer… Madame relocalisation a oublié de nous mentionner les tempêtes de sable! Maintenant, je n'ai qu'une envie, rentrer chez moi. Cette semaine a été éprouvante en émotions. Nous rentrons donc à Montréal, ébranlés et inquiets, mais tout de même confiants. Nous adorons la villa, les lacs artificiels (mais lacs quand même), le bistrot français et le désert (malgré tout). Nous avons encore deux mois à vivre à Montréal pour nous préparer à ce changement de vie, deux mois qui passeront à la vitesse de l'éclair, deux courts mois pour nous préparer à en prendre plein la gueule.

Tribulations aux douanes américaines

Depuis notre retour à Montréal, nous sommes submergés par les préparatifs du grand départ, je croule sous le poids de ma *do to list* qui ne fait que s'allonger un peu plus chaque jour.

D'abord, je dois quitter mon boulot pour me consacrer à temps plein aux préparatifs. Je croyais que quitter mon boulot serait émotionnellement beaucoup plus difficile. Tout au long de cette dernière semaine, je savais bien que c'était la fin. Tout le monde me questionnait sur mon prochain changement de vie. Je parlais de Las Vegas comme j'aurais parlé de la pluie et du beau temps, comme si tout cela n'était encore qu'un rêve lointain qui n'arriverait peut-être jamais. Pourtant, c'était imminent, j'allais partir dans quelques semaines, quitter ma vie connue pour me jeter dans l'inconnu. J'étais engourdie. Ma dernière journée au travail ressembla à une journée comme les autres, moi qui appréhendais un départ tout en larmes. C'est avec les yeux secs que j'ai passé la porte, en leur lançant un dernier salut.

Mon boulot derrière moi, je peux vraiment me concentrer sur toutes les mille et une choses à faire. Tout d'abord, il fallait mettre le condo à vendre ainsi que la voiture. Évidemment, notre beau condo rénové n'a pris que quelques jours pour être vendu, quartier branché aidant! Par contre, nous n'avons pas encore trouvé un acheteur pour la voiture. Trier ce qu'on amène avec nous, disposer et entreposer ce que nous ne voulons pas. Faire des boîtes pendant des semaines, faire vacciner les chats, fermer les comptes bancaires, etc.

En même temps, avec mon frère décorateur, je visite les magasins de meubles, les centres de vente de céramique et de planchers de bois, car nous meublerons la villa presque à neuf. Nous avons fait un plan sommaire de la villa que nous nous amusons à décorer virtuellement. Plus le départ approche, plus le condo se vide et plus la villa se remplit.

À quelques jours du départ, nous vendons finalement la voiture et c'est donc en taxi que je ferai ma tournée d'adieux. Le camion de déménagement arrive par un froid matin de novembre. Tout va très vite. À peine quelques heures et le condo est complètement vide. Je fais le tour, pièce par pièce, avec cette même sensation d'engourdissement. Pas de larmes, j'ai tout de même le cœur serré et je ferme la porte sans me retourner.

Le camion sera à Las Vegas dans trois jours, je dispose donc de ce temps pour faire mes adieux. Je serai la première à quitter Montréal car mon musicien doit finaliser certains détails. J'ai à peine le temps de voir ces trois jours défiler. Je vais de déjeuners en dîners, de dîners en soupers. C'est festif, pas triste du tout. C'est à croire que je pars pour une semaine ou peut-être sont-ils vraiment tous contents que je parte?! C'est à quelques heures de mon départ que j'éclate en sanglots. Je suis avec ma mère et je n'arrête pas de pleurer. Elle me demande pourquoi je pleure autant. J'ai peur, j'ai tellement peur. Elle me rassure doucement et tendrement. Je me calme, je l'embrasse. Je prends mes chats et quitte pour l'aéroport. Une amie m'y attend, elle m'accompagnera à Las Vegas afin de me donner un coup de main pendant la première semaine. J'ai aussi un ami qui, quelques jours plus tard, me rejoindra à la villa pour y faire des travaux. Le camion avec nos meubles fait bonne route et devrait arriver le lendemain matin, comme prévu.

J'ai donné des calmants aux chats et ça ne semble pas fonctionner du tout. J'arrive à peine à pousser mon chariot un peu trop chargé. J'ai très chaud avec mon manteau d'hiver sur le dos. Nous sommes les prochaines en ligne pour les douanes. Mon amie passe en premier et ne prend que quelques minutes. Bon, la voilà de l'autre côté et c'est mon tour. Je pousse mon chariot vers le prochain douanier libre. Évidemment, c'est le dernier à l'autre bout.

Je me présente avec tout mon bataclan, en sueur, à bout de souffle, avec les chats qui miaulent. Il me regarde un brin moqueur, ce qui fait changement car d'habitude les douaniers ont toujours un air supérieur et intimidant. Il me pose mille et une questions, me regarde, regarde mon passeport. Il finit par me dire de le suivre dans le bureau du superviseur. Je le suis - avais-je le choix? Il insiste pour s'occuper de mon chariot. Ma copine m'attend toujours et je lui fais signe de la main de continuer, que j'irai la rejoindre. Je prends un siège et j'attends.

Je peux entrevoir le superviseur examiner mes documents et mon passeport. Il discute avec un collègue, regarde dans ma direction et me fait finalement signe d'approcher :

« Mademoiselle

– Oui

– Vous insinuez que vous déménagez aux États-Unis pour y rejoindre votre conjoint?

– Non, je n'insinue pas. Je déménage bel et bien à Las Vegas.

– Mais vous n'êtes pas mariée. Le statut de conjoint de fait n'est pas reconnu aux États-Unis, donc pour cette raison, vous êtes refusée. »

Mon sang ne circule plus.

« Mais, vous pouvez au moins me donner un visa de touriste pour 6 mois, non?

– Mademoiselle, vous venez de me dire que votre intention est d'aller vivre avec votre conjoint aux États-Unis. Pensez-vous vraiment que je vais vous donner quoi que ce soit? Vous êtes refusée, suivez ce monsieur, il va vous indiquer la sortie. »

Je n'arrive pas à y croire! Nous traversons un long corridor gris et tellement terne. Je sors mon téléphone portable pour appeler au secours et le mec me dit sur un ton presque militaire :

« Vous êtes ici en sol américain, l'usage de votre téléphone est interdit ».

J'essaie de lui expliquer que je dois parler à ma copine qui est passée avant moi. Je dois lui dire de revenir. Il ne veut rien entendre.

C'est la panique, j'arrive à peine à parler. Pourtant, nous nous étions bien préparées. Une heure après mon arrivée à Dorval, je quitte avec ma copine que j'ai finalement réussi à rejoindre, avec mes chats maintenant complètement endormis : finalement, ça fonctionne, les calmants. J'ai bien envie d'en prendre un ou deux!

Dès le lendemain matin, nous sommes dans les bureaux de l'employeur de mon « conjoint de fait », je suis d'humeur plutôt massacrante. C'est le branle-bas de combat, tout le monde semble dépassé par la situation, l'avocat y compris! Je passe une semaine abominable à essayer de réparer les pots cassés. Tout le monde y va de ses conseils et recommandations. Je multiplie les visites à l'employeur, sans succès.

Entre temps, les meubles sont arrivés à Las Vegas. Par chance, Madame relocalisation est allée ouvrir le garage pour les déménageurs. Mon ami, qui doit faire les travaux, s'y rend quand même car nous ne pouvions reporter son vol. Nous communiquons par téléphone cellulaire :

« Dans quelles boîtes les outils?

– Dans quelles boîtes la vaisselle?

– Benoît, trouve mes plantes.

– Je trouve pas les plantes.

– Y'a pas d'eau chaude!

– Benoît, as-tu trouvé les plantes?

– Oui, mais je crois qu'elles sont mortes.

– La peinture, quelles couleurs? Sur quels murs?

– Au fait, Barbara, ton grand miroir est brisé… »

J'ai le sentiment que ma tête va exploser!

Vers la fin de cette merveilleuse semaine, une aide extérieure est venue à mon secours. J'apprends qu'il y a apparemment de l'espoir : tout semble rentrer dans l'ordre, je pourrai repartir dans quelques jours me dit-on. Mon musicien est en pleine tournée d'adieux, il part le lendemain. Je n'y prends pas vraiment part car je n'ai pas le cœur à la fête, encore sous le choc de ma semaine infernale.

Nous avons convenu qu'il prendrait les chats avec lui. Il a son permis de travail, donc, nous sommes certains que son départ est assuré. Je l'accompagne à l'aéroport, re-calmants aux chats. Au comptoir de la compagnie aérienne, la dame nous dit qu'ils ne peuvent pas prendre les chats en raison de la température extérieure qui est trop froide (nous apprenons que les animaux comme les valises sont laissés à l'extérieur pendant les transferts). Je suis au bord de la crise de nerfs. Elle nous offre cependant de prendre un chat en bagage à main. Elle nous vend un sac de voyage pour 75 $ US. Mon musicien choisit sans aucune hésitation le chat qui ne risque pas de faire de numéro 2. C'est moi qui devrai voyager avec!

Trois jours plus tard, je reçois un coup de fil. Mon départ est prévu pour le lendemain matin à 8 h. Évidemment, ce fut un matin de tempête de neige (ça commence bien!). J'arrive très tôt au cas où. J'ai envie de dire à mon chauffeur de taxi de m'attendre! Me revoici donc, à 6 h du matin, en file pour l'immigration avec mon chat en bagage à main. Il en est à son troisième calmant en moins de 15 jours! J'essaie de rester calme mais je suis très anxieuse. J'ai les mains moites, la sueur me coule dans le dos (je porte encore mon manteau d'hiver).

Me revoilà devant un douanier, ou plutôt une douanière, avec, j'imagine, son plus bel air bête. Mais je suis confiante, j'ai personnellement rendez-vous avec Monsieur le superviseur. En lui donnant mon passeport, je l'informe de mon rendez-vous. Elle ne me croit pas et me demande ce que je fais là étant donné que l'on m'a déjà refusée l'entrée aux États-Unis.

« Je suis un code rouge, qu'elle me dit.

– Je sais madame, mais j'ai rendez-vous. »

Elle m'interrompt :

« Il n'y a pas de rendez-vous possible, Mademoiselle.

– Ha oui! Mais pourtant.

– Mademoiselle, vous n'avez pas à argumenter avec moi! »

Je sens que je vais défaillir... En plus, le chat ne dort toujours pas et il miaule à s'époumoner.

Comme la douanière, sur mon insistance, en est à me demander la nature de mon dit rendez-vous, un homme portant un uniforme différent du sien se présente. Ça y est que je me dis, ça doit être celui, chargé de me refoutre à la porte! Mais non, c'est le superviseur en personne. Il pourrait être Dieu le père que ça serait pareil pour moi. Il prend des mains de la douanière mes documents et mon passeport et me demande de le suivre dans le bureau, ce que je fais immédiatement. Je prends quand même le temps de jeter un regard victorieux à la fameuse douanière. Fière de mon audace, je reste tout de même très anxieuse. Je me retiens pour rester assise et ne pas faire les cents pas. Je me dis qu'il doit y avoir des caméras cachées qui analysent mon comportement. Je dois avoir l'air d'être au-dessus de mes affaires. J'attends, il revient avec mes documents.

À l'intérieur de mon passeport, je découvre un beau visa de touriste qu'il me dit de ne jamais perdre! En me rendant vers la porte d'embarquement, je ne peux m'empêcher de regarder par-dessus mon épaule de peur qu'il ne change d'avis et qu'on revienne me chercher. Je conviens que c'était fort peu probable, mais je suis maintenant échaudée par les douanes. En tout cas, les douanes américaines. Je téléphone à ma mère pour lui annoncer la bonne nouvelle. Je suis en larmes (encore, pauvre maman). J'arrive à peine à parler, j'évacue le stress et l'angoisse accumulés durant cette semaine d'enfer. Mais je suis tout de même contente d'avoir perdu au moins 3 kilos!

Le Nouvel An à Las Vegas

Après plusieurs heures de vol et une escale, je survole ma nouvelle ville. Mon chat finit de manger le restant de ma salade de poulet pendant que moi, j'essaie de me convaincre que nous avons pris la bonne décision. J'atterris à Las Vegas par un bel après-midi ensoleillé du mois de novembre 2002. Mon musicien est là, souriant et heureux de me voir enfin arriver. Une aussi belle journée ne peut être qu'un heureux présage.

À cet instant, je n'aurais pu imaginer que mon calvaire avec l'immigration ne faisait que débuter et qu'il durerait quatre longues années! Après seulement un mois et demi en sol américain, et toujours en état de choc, nous avons décidé de ne pas revenir à Montréal pour la période des fêtes. Les ennuis passés aux douanes nous en ont découragés. Il est beaucoup plus prudent de passer les fêtes ici, car un retour pourrait être risqué. J'ai peur de ne pas vouloir ou pouvoir revenir! De plus, nous sommes épuisés.

Le déménagement, les problèmes d'immigration, les travaux dans la villa ont bouffé toute notre énergie. En outre, pas question de confier mes chats au premier venu. D'autre part, l'idée de passer un premier hiver sans neige, nous enchante.

Nous avons donc passé notre première veille de Noël à Las Vegas dans un cinéma, à nous bourrer de pop-corn. Après le film (*My big greek fat weeding* arrivait tout juste en salle), sur le chemin du retour, nous avons décidé de remplacer la traditionnelle dinde par des sushis, d'ailleurs assez douteux! Nous avons dû faire un effort pour rester réveillés jusqu'à minuit pour nous souhaiter « Joyeux Noël » et ouvrir nos cadeaux fraîchement arrivés de Montréal, le matin même (merci maman!).

L'avant-midi de Noël fut gaspillé à chercher un endroit pour déjeuner. Après avoir tourné et tourné, nous avons opté pour un casino. Nous avons tôt fait de repartir car c'était vraiment trop déprimant de voir les gens assis, en cette belle matinée de Noël, devant toutes ces machines à sous. Nous sommes donc revenus à la villa faire un « petit brunch » maison. Un collègue de mon musicien nous a invités pour le souper. Notre premier Noël dans le désert se termine donc d'une façon des plus agréables. Dans la ville, les maisons sont décorées de lumières aussi scintillantes que celles des casinos, ainsi que de bonhommes de neige (en plastique!), de pères Noël et de crèches géantes. C'est joli comme tout, mais sans la neige, la féerie en prend un coup!

J'appréhende le jour de l'an. Qu'allons-nous faire? Moi, qui suis habituée aux soirées très festives. Je connais les plans de mes amis et de ma famille. J'ai un pincement au cœur quand j'y pense car j'aimerais être parmi eux. C'est la première fois de ma vie que je n'ai rien planifié pour le jour de l'An. Ne pas avoir de plan pour Noël ne me dérange pas trop mais pour le premier jour de l'année, je ne peux pas l'accepter.

Heureusement, quelques jours avant la fameuse date du 31, nous recevons une invitation. Plusieurs membres de l'équipe de Céline ont décidé de rester à Las Vegas pour le temps des fêtes. Nous décidons donc de nous regrouper pour célébrer l'arrivée de la nouvelle année. Un réveillon s'organise donc. Chacun amène un plat comme contribution. Nos hôtes décident d'inviter notre agente immobilière, l'américaine typique, avec qui ils se sont liés d'amitié. D'ailleurs, nous la connaissons tous car nous avons à peu près tous fait affaire avec elle. Sa contribution : des baklavas. Elle ne sait pas ce que c'est :

« Je ne suis jamais sortie des États-Unis, je n'ai même pas de passeport comment veux-tu que je sache ce que sont des *fucking* baklavas! »

Ne reste plus qu'à attendre quelques jours avant que la fête commence. Même si nous habitons à proximité, dans la communauté voisine, nous prenons l'auto pour nous y rendre (on s'intègre!). Le champagne, le vin et la bière coulent à flot pour notre première fête à Las Vegas. Quelle bonne idée que ce réveillon! Tout le monde semble être très heureux d'être là pour accueillir cette nouvelle année qui marquera le début d'une grande aventure pour nous tous.

Je vais de groupe en groupe quand, soudainement, je me retrouve avec des inconnus. Ils sont très chics et portent le traditionnel chapeau en carton avec l'élastique qui coupe le menton en deux. Ce sont les voisins! On dirait bien que l'alcool coule à flot chez eux aussi! Spontanément, ils nous invitent à leur fête. Nous sommes une trentaine. Seulement un petit groupe de cinq à six personnes accepte l'invitation. J'en fais partie, bien sûr. Je ne me fais pas prier car il n'est pas question que je manque une occasion de m'intégrer encore plus.

Donc, armée de mes meilleures intentions et surtout guidée par le champagne, je fais le saut et me retrouve chez les voisins. La pièce par laquelle nous arrivons (ce que je crois être un salon sans mobilier) ressemble à une arcade : une table de billard, une table de baby-foot, une table de hockey et une machine à boules. On dirait qu'on vient de me *télé transporter* quelque part sur la *Strip*! Est-ce permanent ou seulement pour ce soir? C'est permanent. Je me retrouve à la cuisine/salle à manger, ils sont là, tous très heureux de nous avoir parmi eux. Ils remettent à chacun de nous un chapeau de carton (avec le maudit élastique!). Le mien est une réplique un peu bizarre d'une tiare.

Je promène discrètement mon regard dans la pièce, le voisin n'a pas lésiné sur les décorations. La table de cuisine croule sous un immense buffet qui pourrait facilement nourrir vingt personnes. Or, ils ne sont que six! Juste au-dessus de la table, au plafond, le ventilateur est aussi décoré : des rubans pendouillent à chaque palme et au bout desdits rubans des coupes de vin sont attachées. Et le ventilateur tourne! Mon Dieu, j'espère que ces verres sont en plastique! Le concept des coupes de vin volantes se répète aussi dans les cadres de porte. J'aperçois, dans la cour, une table à pique-nique littéralement encombrée par une quantité phénoménale de bouteilles d'alcool. Alors, je me sers un verre, un double!

Quand je reviens dans la maison, ils dansent entre le buffet et le canapé. Ils m'invitent à me joindre à eux sur la « piste ». Je ne peux résister à autant d'enthousiasme! Nous sommes tous là à danser, collés les uns aux autres, quand je réalise qu'entre chaque chanson, il y a un délai. Je me tourne vers le pseudo DJ, il est à genoux devant la radio. La musique ne vient pas d'un cd. Non, le pauvre passe d'une station à une autre pour essayer de trouver une autre chanson, le plus vite possible!

Bon assez avec la danse, ils nous invitent dans la cour. Tant mieux. J'ai besoin d'un verre. Ils ont une surprise (mon Dieu, quoi encore?!) : des feux d'artifice. En tout cas, ils avaient l'intention de faire un feu d'artifice car le seul pétard utilisable s'est retrouvé dans la piscine! Je profite de la confusion pour me sauver et retourner chez nos hôtes initiaux. Dehors, entre les deux maisons, je m'assois un instant. J'ai peine à croire à cette excursion dans le *twilight zone*. Mais je souris car c'est le 31 décembre et je suis dehors en t-shirt, sans bas dans les chaussures. Assise sur une roche et non dans un banc de neige. Génial! Je retrouve mes amis, je porte toujours ma tiare. La musique (un cd, merci beaucoup!) est à fond. Mon chanteur préféré (Prince) chante ses plus gros hits. Je m'élance sur la piste de danse improvisée (pas entre deux meubles). Ce soir, tout va bien, j'arrive enfin à mettre de côté mes doutes quant à mon avenir ici, car depuis que je suis arrivée à Las Vegas, le doute et la comparaison faisaient partie de mon quotidien.

Les soins de santé Made in USA

Nous savons tous que déménager est une grande entreprise. Nous voulons que notre nouveau nid soit le plus douillet possible et agissons en conséquence. Mais déménager implique aussi d'autres changements, tels de nouveaux endroits pour faire les courses, une nouvelle banque, un nouveau pharmacien, etc. Bref, il faut repartir à zéro.

Il y aussi des changements dans le domaine de la santé. Contrairement au Québec, aux États-Unis nous devons avoir une assurance santé privée. Dans notre cas, c'est un des avantages sociaux inscrit dans le contrat de mon musicien. Quelqu'un s'en occupe pour nous, donc pas besoin de nous casser la tête avec ça (sinon cela pourrait être compliqué et surtout très dispendieux). Nous faisons partie d'un réseau et pouvons alors choisir le professionnel de la santé inscrit dans ce réseau.

C'est donc via Internet que je choisis notre « nouvelle équipe » qui prendra soin de notre santé et ce, pour la durée de notre séjour ici. Ma rencontre avec mon nouveau dentiste fut catastrophique. Nous nous sommes bien mal entendus, un autre faux départ. Par conséquent, je préfère de beaucoup notre nouveau médecin. La première visite s'est bien déroulée. Un coup de fil, un rendez-vous le lendemain, pas d'attente. À mon arrivé, on m'a même aidée à remplir les papiers pour les assurances. Mon médecin est une femme charmante et drôle, tout se passe très bien. Après l'examen, elle me fait part de son constat : elle a découvert une masse sur mon ovaire gauche. Je dois aller dès le lendemain passer un ultrason.

Le rendez-vous est pris pour moi, à l'endroit qui me convient le mieux. Je n'ai qu'à téléphoner pour connaître les détails qui me permettront de me préparer à cet examen. Ce que je m'empresse de faire dès mon arrivée à la maison. Je dois boire 48 onces d'eau, 30 minutes avant mon examen et évidemment, ne pas uriner.

Donc, le lendemain je me lève plus tôt et je commence à ingurgiter toute cette eau. Encore dans le garage, je suis dans la voiture et j'ai déjà envie. La clinique se trouve à quelques minutes seulement. Je pourrai certainement tenir le coup. À notre arrivée, mon musicien qui m'accompagne plonge dans sa revue pendant que moi, je vais m'asseoir avec la réceptionniste pour remplir les formulaires d'assurances. Je réponds à toutes ses questions. Elle me dit de m'asseoir et qu'on viendra me chercher sous peu. Il est 9 h et la salle d'attente est bondée. En attendant, je remarque que la réceptionniste est encore à éplucher les formulaires d'assurance. Elle semble plutôt embêtée, elle regarde autour d'elle comme quelqu'un qui cherche de l'aide mais ses consœurs de travail ne semblent pas la remarquer. Il est 9 h 15 et je commence sérieusement à me tortiller sur ma chaise lorsqu'elle me fait signe de revenir la voir. Elle m'avoue qu'elle ne sait pas comment remplir mes formulaires car je n'ai pas de numéro d'assurance sociale, que je n'ai pas d'emploi et surtout que je ne suis pas mariée. Elle concède tout de même que j'ai une assurance. Je lui réponds que tout ça est bien exact. Elle cherche dans ses livres, fait quelques coups de téléphone et me renvoie à ma chaise.

Il est 9 h 30 du matin et je ne peux plus rester assise. J'ai trop envie et j'essaie de ne pas penser à l'examen, au moment où ils mettront, avec un peu de pression, leur appareil sur ma vessie! J'ai les yeux fixés sur la réceptionniste lorsqu'elle me refait signe d'aller la voir encore une fois :

« Vous n'êtes pas mariée?

– Non, je vous l'ai déjà dit.

– Mais vous portez une bague à votre doigt.

– Oui.

– Et votre conjoint aussi porte une bague, je la vois.

– Oui, il porte une bague, mais nous ne sommes pas mariés, nous avons échangé des bagues, il y a longtemps et... »

Non, mais franchement, je ne vais toujours bien pas lui raconter ma vie à celle-là! Elle est assez mêlée comme ça et moi j'ai des crampes à la vessie. Je lui suggère que, pendant qu'elle cherche dans ses livres, je pourrais peut-être passer mon examen car là, vraiment, ça commence à être difficile de me retenir.

Il est 9 h 40 et je suis désespérée! Je retourne la voir et menace d'aller aux toilettes. Elle me dit :

« Tu peux y aller, compte jusqu'à huit et arrête. »

Ça va pas marcher je le sens. Elle me regarde, un peu embêtée (pour faire changement). J'accroche une infirmière et lui explique mon petit problème et mets l'emphase sur ma vessie qui va exploser d'un moment à l'autre. Elle va voir la réceptionniste et lui prend enfin mon dossier des mains et se tourne vers moi.

« Vous êtes la prochaine

– Ça veut dire combien de temps?

– Deux minutes. »

J'en attends cinq et puis dix. Voyant que rien ne se passe, je me rends à la salle de bain, incapable de me retenir plus longtemps.

L'infirmière cogne à la porte pour m'annoncer que c'est mon tour! Je sors de la salle de bain et lui dis :

« Désolée, mais trop tard. »

Elle m'agrippe par le bras et au pas de course m'amène dans la salle, défait mon pantalon, étend son gel et commence son examen, elle s'arrête :

« Vous êtes allée aux toilettes?!

– Ben oui, je m'excuse mais là, je n'en pouvais plus, c'était vraiment trop long. »

Elle est très compréhensive et s'excuse de ce contretemps. Alors, me voilà le lendemain, contrainte à tout reprendre à zéro et à ingurgiter à nouveau 48 onces d'eau. À mon arrivée, la réceptionniste avait disparu! Cette expérience me fait rapidement comprendre qu'aux États-Unis, que ma vessie explose, soit! Mais qu'elle explose APRÈS qu'ils se soient assurés que j'avais bel et bien des assurances valides!

Las Vegas s'en va-t-en guerre

Les événements se succèdent, simplement. J'ai su aussi faire face à des changements et ajustements parfois frustrants. Cette fois-ci, je dois affronter un changement qui se prépare et que je ne peux malheureusement pas contrôler : la guerre.

Cette guerre qui semble inévitable et qui m'inquiète au plus haut point. En effet, quelques semaines avant notre départ du Québec, la situation entre l'Iraq et les États-Unis commençait déjà à se détériorer. Partir vivre dans un pays qui ne songe qu'à faire la guerre n'était pas très rassurant, encore moins si ce pays se trouve ciblé par d'éventuels attentats terroristes. Du moins, c'est que les médias nous font croire. Notre déménagement coïncidait malheureusement à ce moment très peu favorable, qui plus est, la piètre valeur du dollar canadien. Les États-Unis nous semblaient de moins en moins sympathiques, voilà déjà que, entre mon nouveau pays et moi, un malaise s'installait.

Au début, tout semblait normal jusqu'au moment ou j'ai ouvert la télévision et mes deux yeux! Plus les rumeurs d'une guerre imminente se précisaient, plus le peuple se transformait. Il devenait de plus en plus fanatique. J'avais déjà remarqué les drapeaux devant les maisons et sur les voitures. Puis, il y eut une explosion de patriotisme, le port des macarons, l'affichage de banderoles, la création de vêtements à l'effigie et aux couleurs du drapeau. Pour dix dollars, devant votre maison, sur le trottoir, ils inscrivaient votre adresse au milieu du drapeau. Un matin, nous nous rendions au bureau d'immatriculation et la dame qui nous servait avait tellement de macarons sur elle qu'elle ne retrouvait pas son crayon bleu, blanc et rouge, accroché à son cou.

La propagande dans les journaux et à la télévision était continue. Incroyable tout ce qu'on a pu entendre pour promouvoir la guerre, coûte que coûte. J'ai presque échappé ma tasse de café à la vue d'une publicité dans le journal. C'était le logo de l'ONU (UN en anglais) imprimé en gros caractères gras et à côté, inscrit à la main, le mot *necessary*, ces deux mots juxtaposés donnent *unnecessery*! Ce comportement ne me surprenait pas vraiment. Malgré tout, je m'attendais à ce que les gens de Las Vegas soient plus ouverts étant donné leur proximité avec la Californie, d'autant plus que plusieurs Californiens vivent ici. Je me suis royalement trompée car j'ai l'impression d'être plus près du Texas que de Los Angeles!

J'ai paniqué un peu plus lorsque les médias ont lancé leur campagne de peur, avec les risques d'attentats terroristes. Tous les jours, code rouge, code orange et re-code rouge. Ils nous incitent à nous équiper de masques à gaz (carrément), d'un certain ruban adhésif spécial pour calfeutrer nos fenêtres ainsi que des réserves de provision d'eau et de nourriture non périssable. Les infos nous montrent les parents et les enfants qui amènent de l'eau et de la nourriture non périssable à l'école, en cas d'attaque, durant les heures de classe. Nous sommes en pleine psychose. Mon musicien est branché sur CNN, le volume au maximum. J'ai la désagréable impression que c'est mon salon qu'ils s'apprêtent à envahir et non l'Iraq! Mon musicien est quelqu'un de très nerveux et a tendance à l'exagération de par sa nature. Je dois donc argumenter avec lui pour ne pas qu'il se précipite acheter les fameux masques à gaz ou le ruban pour les fenêtres.

Pendant une soirée code rouge, il devait se rendre à une répétition. Aux infos, ils conseillaient la population de ne pas prendre l'autoroute, de ne pas se rendre sur la *Strip* et surtout, de ne pas se trouver à l'intérieur d'un casino. Le pauvre, il devait prendre l'autoroute, devait se rendre sur la *Strip* pour répéter dans un casino! Il a pris quand même son courage à deux mains et malgré le code rouge, s'y est rendu. Il a fait peur à tout le monde, là-bas. La répétition a été finalement annulée! Après quelques semaines de cette psychose, j'avais les nerfs à fleur de peau et la guerre n'avait pas encore éclaté. Nous espérions encore un dénouement heureux. Bref, arriva ce qui devait arriver, les États-Unis ont déclaré la guerre.

Que va-t-il se passer? Nous sommes inquiets, nous recevons des appels de Montréal, parents et amis se font du souci pour notre sécurité. Pendant que des avions et hélicoptères nous passent au-dessus de la tête (Las Vegas a une base militaire) le *reality show* Iraq/USA/Angleterre est présenté sur toutes les chaînes. Je réussis à convaincre mon musicien d'éteindre la télévision et lui suggère plutôt un abonnement à un journal, ce qui est beaucoup moins bruyant et agressant.

Beaucoup de jeunes soldats, qui n'ont guère plus de vingt ans, combattent et périssent. Ils laissent dans le deuil leurs jeunes compagnes, ainsi que parfois, deux ou trois enfants en bas âges. Je vois sur la route des camionnettes avec des bannières où on a inscrit : « Notre père se bat pour votre liberté ». Des drapeaux et encore plus de drapeaux, les gens tiennent à peu près tous le même discours : « pourquoi ne pas leur envoyer LA BOMBE qui les ferait disparaître d'un seul coup et réglerait le problème, une fois pour toutes?! ». Il y a une chose que j'ai comprise depuis que je suis ici, grâce aux médias. Je n'excuse pas le peuple américain mais leur attitude était prévisible puisque la presse et les politiciens les tenaient dans la peur et l'ignorance la plus totale. Le monde extérieur ici n'existe pas. Au moins, maintenant ils savent où se trouve l'Iraq, c'est à peu près tout. Ah non, ils ont aussi découvert l'Angleterre! Pour le reste, c'est à peu près le néant.

Devant les Américains, surtout les fanatiques, nous apprenions très vite à tenir notre langue et à dissimuler notre opinion sur le conflit. Nous ne sommes pas dans une des régions où surgissent des manifestations monstres pour la paix. Il y en a bien eu une, seulement une centaine de personnes y participaient.

Un soir, j'ai assisté à une scène assez saisissante. Un charmant souper qui a tourné au vinaigre quand quelqu'un (un Américain) a osé mentionner que le fanatisme religieux de l'Iraq n'était pas si loin de celui des Américains. Ho là! là! Le ton a monté, des verres furent brisés, des chaises retournées et des portes ont claqué. Ouche! J'en tremblais, moi qui étais du même avis que cette (odieuse) personne. J'ai bien fait de me taire car je me serais sûrement retrouvée tête première dans la piscine... avec mon accent francophone! Une autre fois, j'étais chez des amis, ma copine m'a présentée en tant que sa nouvelle amie canadienne (déjà que ça fait cent fois que je lui répète que je suis québécoise!).

Tout le monde semblait très heureux de faire ma connaissance. Un peu plus tard, je me retrouve seule dans la cuisine et un mec vient m'y retrouver pour m'engueuler car je suis canadienne/québécoise (*what the fuck anyway?!*) et nous, les *frozen frogs,* n'étions pas les alliés des États-unis, d'autant plus que nous refusions d'entrer en guerre. Nous étions donc un peuple de peureux, stupide. Bref, des *morons*! J'ai bien envie de lui lancer mon verre de vin au visage. J'ai aussi très envie de lui dire ma façon de penser à ce con, mais saurais-je bien l'insulter en anglais? J'ai bien peur que ça sorte tout croche et que l'impact ne serait pas le même que si je l'envoyais se faire foutre en français.

Hum, je décide donc, en bonne canadienne/québécoise peureuse que je suis, de quitter la pièce paisiblement. Je prends tout de même la bouteille de vin avec moi, si jamais il me relance, la *frozen frog* va lui fracasser le visage avec la bouteille et sans aucune hésitation, cette fois. Si ce *redneck* veut la guerre, il l'aura! Vous vous demandez sûrement pourquoi je traîne avec des fanatiques? En réalité, le fanatique classique est facilement repérable, j'en conviens. Le problème se présente pour ceux qui sont plus discrets, des gens très gentils.

Quand la politique apparaît dans le décor, nous sommes toujours surpris (et déçus) de voir le fanatisme faire surface chez des gens que nous n'aurions jamais soupçonnés! Pendant cette période tumultueuse, je me rendais très souvent au bistro français, leur clientèle américaine y était toujours aussi fidèle. Il m'est arrivé d'entendre des clients refuser de consommer du vin français. Il fallait alors tourner sa langue sept fois et se taire même si on avait envie de leur crier au visage tout ce qu'on retenait depuis des mois. Il était très difficile en ces temps-là de s'intégrer et très difficile aussi de résister à la tentation grandissante de refaire ses boîtes et de partir.

Le spectacle se prépare

Malgré tout, la vie continue. Entre temps, mon musicien a commencé à travailler. La raison de tout le chambardement que nous avons vécu commence à prendre forme. Je me sens très privilégiée d'assister, de façon indirecte, à la création d'un spectacle à grand déploiement. J'avais l'opportunité de suivre un grand créateur qui m'a éblouie plus d'une fois, avec des spectacles à couper le souffle. Son imaginaire est rempli d'émotions, de raffinement et de magie.

Voyager dans cette autre dimension est une expérience exaltante. Comment va-t-il relever le défi et créer un spectacle sur mesure pour Céline qui est certainement une des plus grandes chanteuses pop? Arrivera-t-il à nous transporter encore une fois? J'entends bien pouvoir m'immiscer le plus possible au cœur des répétitions et être témoin de ce tour de force.

Évidemment, le créateur, Franco Dragone, ne travaille pas seul. Il est entouré d'une grande équipe dont je ne connais personne encore. Donc, l'équipe de Céline sera mes yeux et mes oreilles jusqu'à la fusion des deux équipes, ce qui m'amènera encore plus près du processus de création. Je plonge dans cet univers presque inconnu. Presque, parce qu'au fil des années, je me suis familiarisée avec la préparation des spectacles de Céline qui ont sillonné le monde.

Mais cette fois-ci, c'est différent : ce spectacle ne voyagera pas comme les précédents. Celui-là a sa maison bien à lui, bâtie sur mesure pour combler tous ses besoins et même ses caprices, on ne rigole pas. C'est un endroit magnifique, accueillant et très confortable. Une immense scène qui possède apparemment le plus grand écran haute définition au monde et, j'imagine, le meilleur système de son et d'éclairage. Rien n'est négligé, ils mettent le paquet.

Mon musicien a très hâte d'y travailler, ce qui tarde à arriver. Premièrement, le théâtre n'est pas encore tout à fait prêt et lorsqu'il l'est finalement, le créateur n'a pas encore besoin des musiciens. Ils utilisent, pour l'instant, des bandes enregistrées. Les extraits des chorégraphies que je vois en répétition m'enchantent. C'est vraiment très beau, même sans les costumes, sans l'éclairage, même sans la chanteuse et ses chansons!

Je me demande ce que donnera la transposition de ces chorégraphies sur ses chansons à elle, choisies pour le spectacle. Les mouvements des danseurs sont d'une telle précision... Tout ça me semble étrange mais qu'est-ce que j'y connais? Je suis justement là pour être ébahie et je le suis! À d'autres occasions, j'assiste aux tests d'éclairage et de son.

Je découvre des images sur le grand écran. Je me promène également sous la scène, visite les installations et « les cages » de certains musiciens qui se retrouveront sous la scène durant le spectacle. Mon musicien a la chance d'être, avec le chef d'orchestre et les choristes, à l'avant de la scène. Les semaines passent, le créateur crée. Quoi? Je ne saurais dire, même avec l'apparition des costumes, des éclairages qui se précisent, des éléments du décor qui prennent place, les chorégraphies semblent avoir un début et une fin. En fait, pour moi, tout ça reste encore nébuleux.

Un soir, j'ai la chance d'assister à la première répétition de Céline avec ses musiciens. Le théâtre est presque vide, la scène n'est éclairée que par un faisceau de lumière blanc, ce qui permet tout juste de voir où l'on met les pieds et de lire les partitions et les paroles. Elle, décontractée habillée d'un survêtement de jogging (on s'intègre!) et de souliers de course. Pendant presque deux heures, elle a chanté et j'ai écouté. Je regarde parfois autour de moi, « où est le créateur? ». J'espère qu'il est dans la salle, lui aussi, car le spectacle, il est là. Malgré cette grande scène dénudée, par sa seule présence, tout vibre.

C'est ce soir-là que j'ai décidé de ne plus me rendre au théâtre et de patienter jusqu'au soir de la première, tant attendu. Je voulais garder mon esprit ouvert et oublier les jugements qui s'installaient, lentement mais sûrement, dans ma tête. Il m'était plutôt facile de ne pas m'y rendre. Si je devais y aller, j'évitais la salle, même pour un coup d'œil rapide. Je me contentais de longer les corridors de la production.

Malheureusement, la nature ne m'a pas dotée d'une paire d'oreilles rétractables. Et bien malgré moi (!!) je continuais à suivre le processus de création. J'ai appris que les costumes des danseurs seraient les mêmes que ceux qu'ils portaient durant les répétitions. J'étais un peu déçue, je m'attendais à plus de *glamour*. J'étais sûre que ceux que la chanteuse porterait seraient grandioses. Lors de nos conversations, les costumes étaient un sujet parmi tant d'autres. Et croyez-moi, j'aurais parfois vraiment aimé avoir une paire d'oreilles rétractables! Une création a toujours un départ chaotique... ce qui reflète aussi mon petit chaos personnel, au quotidien!

La vie de tous les jours et... les amies

La routine prend forme, je m'intègre tout de même un peu plus chaque jour. Je m'oriente assez bien maintenant dans la banlieue. J'ai une carte de membre des épiceries et des grandes surfaces, mais encore.

Je suis souvent seule à la maison et j'ai très envie de rencontrer des gens. Mes voisins? Ma banlieue est une banlieue fantôme, personne à l'horizon. Que suis-je supposée faire de toute façon, me présenter à leur porte avec un panier de biscuits? C'est pourtant ce que ma voisine a fait, quelques jours à peine après que nous ayons emménagé.

Déjà, j'étais surprise qu'on sonne à ma porte et encore plus surprise de me retrouver devant la version américaine de Dominique Michel (en brune) avec, dans les mains, un plateau de *brownies* encore fumants! Exactement comme dans les films. Très cliché, mais avouons tout de même, très gentil. En espérant, par contre, qu'elle ne me fournira pas en *brownies* à toutes les semaines! Je l'invite à entrer (que faire d'autre) même si la villa est bordélique, des meubles et des boîtes traînent encore un peu partout. Ma voisine est un petit bout de femme super énergique, drôle et très chaleureuse. Elle promène son regard partout et réagit devant chaque objet ou meuble. Elle trouve que tout est très européen, même les chats! Elle dit se sentir sur une autre planète. Ah oui! Vraiment? Car moi aussi, plus je l'écoute, plus j'ai l'impression d'être sur une autre planète! Je lui explique que nous sommes des francophones mais du Québec. Elle devient confuse, alors je lui explique que le Québec est une province francophone du Canada. Au moins, le Canada ça lui dit quelque chose. Mais jusqu'à ce jour, elle s'entête à nous prendre tout de même pour des Européens.

Elle s'entiche de moi très rapidement et c'en est presque gênant. Elle semble très impressionnée par moi (allez savoir!) Elle a deux filles de mon âge, une à Las Vegas et l'autre au Texas. Je ne connais pas ses filles mais je suis certaine qu'elles me détestent car leur mère leur parle constamment de moi : Ce que je dis, ce que je porte, mes cheveux, ma maison, les voyages que j'ai faits. Bref, elle m'idolâtre carrément (j'exagère à peine). Elle est aussi impressionnée par mon musicien. Comme il n'est pas à la maison très souvent, le bon voisinage me revient.

Mes chats vont paresser dans son jardin, elle m'envoie, via courriel, les photos qu'elle prend d'eux ou elle me téléphone et entreprend un long monologue. Il n'est pas rare que mon musicien me demande :

« T'étais où?

– Je prenais le courrier.

– Tout ce temps-là?

– Ben oui, je suis tombée sur la voisine. »

Quelques jours après sa présentation officielle, elle m'invite chez elle pour un verre de vin, question de faire plus ample connaissance. J'accepte. Installée au salon, devant une télévision qui doit prendre facilement la moitié du mur. Le volume élevé ne m'empêche tout de même pas de suivre la conversation qui est plutôt agréable, jusqu'à ce qu'elle me demande de lui décrire mon mariage qu'elle imaginait sûrement grandiose.

« Nous ne sommes pas mariés. »

Ho là là! je vois la surprise et la déception dans ses yeux.

« Vous vivez ensemble sans être mariés?

– Heu, oui ».

Malaise et changement de sujet, pour pire : les enfants!

« Vous allez avoir des enfants, quand même?

– Non, je ne crois pas. »

Donc, pas de mariage et pas d'enfants en vue.

J'imagine les commentaires de ses filles! Car elles, elles ont eu chacune un beau mariage et ont de très beaux enfants et ce, avant l'âge de 30 ans. Je croyais bien que mon bon voisinage venait de finir mais, à ma grande surprise, nous étions devenus plus exotiques pour elle. Malgré le bon vouloir de ma voisine, je dois me faire des amis(es) qui me ressemblent un peu plus et au plus vite! J'ai remarqué, près de chez moi, un endroit que je croyais être un café. Je ne portais vraisemblablement pas mes lunettes ce jour-là car lorsque j'y suis arrivée, c'était un lave-auto! Un grand dépanneur avec des tables à l'extérieur pour bien voir les voitures se faire pomponner.

Prendre soin de sa voiture ici, fait partie des moeurs. Un point que nous n'avons définitivement pas en commun. De toute façon, entamer une conversation avec quelqu'un qui conduit un 4 x 4 avec des pneus de 10 pieds, m'intimide. Quoique je pourrais leur demander comment ils font pour monter et descendre de leur mastodonte car, vraiment, ça m'intrigue. Mais ils seraient trop fiers de me parler de leur bolide et je serais prise dans une conversation qui ne m'intéresse en rien. Aucune amitié possible avec ces cow-boys de la route qui ont remplacé les chevaux par ces monstrueux 4 x 4. À part mes livres, la télévision fut ma première amie.

Beaucoup de chaînes d'information, la guerre d'un bout à l'autre, mais aussi énormément de sitcoms, téléréalités et des jeux des plus abrutissants. Ce sont les publicités qui me chavirent le plus, beaucoup de pubs pour les bureaux d'avocats. Ici, les poursuites judiciaires en dommages font autant partie de la vie que boire, manger et dormir. Les avocats nous offrent donc la possibilité de poursuivre à peu près tout le monde. En fait, ils mettent surtout l'emphase sur les professionnels de la santé, les compagnies d'assurance, le cow-boy qui a démoli votre voiture avec son monstre 4 x 4. Il y a aussi les avocats qui se spécialisent dans les faillites. Les pires publicités, à mon avis, sont celles concernant les médicaments pour les dépressions, problèmes cardiaques, diabète, haute pression ou encore pour soigner l'incontinence.

Mais je ne comprends pas, ils mettent le paquet pour nous vanter les mérites de la pilule en question, c'est évidemment LA pilule miracle, la pilule qui va sauver votre vie, sans laquelle vous ne pouvez pas vivre. Elle est la pilule dont votre bonheur dépend, et à la fin du message publicitaire, ils énumèrent la liste des effets secondaires. C'est à faire peur à tous les rats de laboratoire!

Notre amitié commence à battre de l'aile. Ma pauvre nouvelle amie n'a pas tellement d'attraits à m'offrir, ce qui me décide enfin à me tourner vers d'autres options. Nous ne sommes pas les seuls à avoir décidé d'immigrer à Las Vegas, l'équipe de Céline est très grande. Je connaissais déjà plusieurs d'entres eux. Entre autres, Sophie, la femme d'un musicien, une fille super avec qui j'ai partagé beaucoup de beaux moments soit à Montréal ou ailleurs dans le monde, à l'occasion des tournées précédentes. En vérité, elle est la seule avec qui j'avais développé une amitié au Québec.

Je connais bien sûr les autres femmes des musiciens et techniciens que j'ai entrevues durant des fêtes et occasions spéciales, sans plus. Sophie et moi partagions le même style de vie à Montréal et nos musiciens sont de proches amis. Mais elle a maintenant deux jeunes enfants et son horaire est très différent du mien. Plus près de moi encore, dans la communauté voisine à la mienne, il y a Viviane, conjointe d'un technicien et nouvellement maman. Viviane et moi ne nous connaissons pas vraiment. Nous nous saluons poliment, sans plus. Elle aussi, encore une fois, a un horaire très différent du mien, moi qui suis libre comme l'air! C'est une sensation très étrange que de connaître quelqu'un sommairement et d'avoir à être amie par la force des choses. Dès les premières semaines de notre relocalisation, je ressentais le sentiment d'urgence, comme chez beaucoup d'entre nous, à se retrouver ensemble. Nous étions très contents de découvrir qui habitait où. Nous ne savions pas d'avance où ils avaient acheté. Il y avait certainement aussi la curiosité pour chacun de nous de découvrir nos nouvelles maisons. Je ne sais pas s'il était sécurisant pour nous de nous assurer que rien n'avait vraiment changé, que même si nous étions tous dans un nouvel environnement, nous pouvions quand même nous retrouver en terrain connu. Mais je savais que malgré toutes les bonnes intentions de se fréquenter, une sélection naturelle se ferait. Pourquoi en aurait-il été autrement? Si nous ne nous fréquentions pas à Montréal alors, pourquoi ici?

La sélection naturelle s'est faite, évidemment. C'est lors de notre réveillon du jour de l'an que j'ai fait la connaissance de Véronique, conjointe d'un technicien. Entre elle et moi ça été pareil à un coup de foudre! Véronique est une jeune professionnelle aussi éclatée qu'allumée. Elle n'a pas d'enfant et son horaire ressemble tellement au mien. Nous devenons instantanément de bonnes amies. Qu'il est bon d'avoir une amie, s'appeler pour ne rien dire vraiment, rire de tout et de rien. Faire la fête sans aucune raison particulière. Nous avons tôt fait d'hériter d'un surnom « les veuves joyeuses ». Un surnom qui nous va très bien et qui nous restera.

Comme nos conjoints travaillent presque en permanence, nous, les filles, sommes donc souvent seules. En peu de temps, le cercle des veuves joyeuses s'est agrandi. Viviane, Sophie et Dominique nous ont rejointes. Pas très difficile de faire partie de notre petit clan, un 5 à 7 suffit! Nous nous retrouvons donc souvent entre filles, nous échangeons nos trouvailles (tel produit à tel endroit ou encore tel restaurant, etc.). Ces rassemblements sont aussi propices aux confidences, entre filles, on se dit tout! L'exil nous pousse certainement à nous lier. Le petit groupe que nous formons est tellement important, tous les moments que nous partageons, soupers, cinéma, spectacles, ainsi que nos grandes conversations.

Tout cela fait que cette amitié, sans cesse grandissante, nous permet de nous épauler, de combattre les coups de barre et d'apprécier notre expérience, ici. De plus, nous retrouvons un peu du quotidien que nous pouvions chacune vive avec nos amies respectives à Montréal. Nous découvrons chez l'autre des points communs innombrables. Véronique et moi avons aussi notre jardin secret, un deuxième groupe mais américain, celui-là. Des gens tellement différents de nous mais combien attachants.

Un couple, Charles, ancien « *marine* », originaire d'Angleterre qui vit ici depuis plus de 40 ans. Après sa carrière dans l'armée, il s'est recyclé en agent d'artistes (le parrain de son plus jeune fils est Tom Jones). Il a connu le Vegas mafieux, a côtoyé Sinatra, Elvis et plusieurs célèbres mafiosi, bref, un livre d'histoire ambulant. Elle, C.J., notre agente immobilière prospère, personnage haut en couleur. Elle est le modèle américain, blonde, plantureuse, bronzée, à la manucure parfaite. Elle porte fièrement à son cou, à ses poignets et à ses doigts, le rêve doré américain. Mais, derrière tout cet attirail, elle a une personnalité charmante et très attachante. Face à nous Québécois, elle a su s'ouvrir et surtout respecter nos différences. De plus, le plaisir qu'elle prend à apprendre le français est attendrissant. Elle s'imprègne de notre culture et la transpose dans son quotidien - repeindre la maison en mettant de la couleur sur les murs, utiliser des chandelles et se servir de différentes lampes pour créer une ambiance intéressante. Nous sommes, pour elle, les voyages qu'elle ne fera probablement jamais. Elle est sincère, le coeur sur la main, un bon sens de l'humour et de la répartie. Elle aime discuter et apprendre plein de trucs sur le Québec - notre vision politique, religieuse, notre style de vie. Elle s'étonne parfois de nos différences mais ne porte jamais de jugements. De plus, C.J. est une des rares Américaines que j'ai rencontrées pour qui faire la bise est tout à fait normal. Les autres en sont tellement inconfortables.

Dans son salon, un livre de Montréal que je lui ai offert trône sur le bord du foyer. Il y a aussi son amie, la veuve éplorée (je n'ai jamais rien vu de semblable). Elle essaie de faire le deuil de son mari à grands coups de vodka et d'antidépresseurs, et ce, depuis plusieurs années. Tel un vampire, elle dort le jour et vit la nuit. Un couple marié, un Anglais et une Américaine qui, elle aussi, ne lésine pas sur les pilules et l'alcool. Elles se font même des échanges de pilules entre elles... Pour finir, le jardinier, le plus calme et effacé de la troupe, originaire du nord de la Californie. Il est le seul qui se rapproche le plus de nous. Tout ce petit groupe est très festif parfois même *borderline*! Lors de ma première soirée avec eux, je savais que je venais de pénétrer dans le *twilight zone* et que je n'en ressortirais probablement pas. Ils nous ont acceptés et ouvert leur coeur si gentiment. Bien sûr, nos amis et familles nous manquent terriblement mais évoluer dans ce microclimat social, adoucit notre vie et la rend tellement plus vivante et agréable.

A New Day

Arrive le grand moment tant attendu. Enfin, nous voilà à quelques heures de la première du spectacle *A New Day*. Enfin, je serai libérée de mes attentes, mais seront-elles comblées? Pour détourner mes pensées, je me concentre sur moi-même car je dois me transformer en fille de première/tapis rouge. En fait, ce n'est pas vraiment le soir mais plutôt une fin de journée, le spectacle est à 18 h 30. Je joins l'utile à l'agréable en décidant de me préparer chez Véronique, elle m'aidera avec mon maquillage. Nous avons tellement de plaisir, le fameux maquillage coule déjà, nous croulons de rire. Nous sommes prêtes, il est 16 h 30.

C'est une étrange sensation que celle d'avoir l'air de Cendrillon si tôt! Le soleil est encore brûlant. J'ai chaud et m'inquiète pour mon maquillage car il serait dommage que mon look de star fonde avant même d'être au théâtre. Nous avons rendez-vous dans un bar avec Sophie et Dominique pour boire un verre avant le spectacle. Auparavant, nous devons récupérer nos billets à la billetterie. Il y a une foule monstre, les gens se sont déjà rassemblés le long du tapis rouge. Ils sont attirés par les caméras de télévision, les journalistes de partout à travers le monde et la multitude de photographes présents. Nous avons peine à avancer, c'est la folie, voilà enfin la billetterie et sa longue file. Mission accomplie, nous avons en notre possession les billets cachés dans nos minuscules sacs à main.

Nous devons rebrousser chemin. Nous prenons une grande inspiration et fonçons. Le temps de faire quelques pas, une caméra se braque sur nous et nous aveugle, mes yeux coulent. Mon maquillage! Un journaliste nous demande je ne sais quoi et on me tend un micro. Nous nous échappons sans lui répondre et reprenons notre pénible route entre la foule et les machines à sous. Enfin de retour au bar. Vite, un verre!

Nous apercevons Sophie et Dominique que nous avons du mal à reconnaître, incroyablement glamours, elles aussi. Après nous êtres montrées nos robes, cheveux, maquillage et plusieurs « WOW t'es belle! ». Elles partent pour la billetterie et nous leur souhaitons bonne chance. À leur retour, nous pouvons maintenant nous détendre un peu, nous regardons la foule et spéculons sur la valeur de nos si précieux billets. Une de nous, à la blague, suggère que nous pourrions facilement vendre nos billets à gros prix et aller magasiner à la place (de vraies filles). Silence de quelques secondes. Et puis, éclats de rire. Non, nous ne pouvons tout de même pas faire ça!

Nous sommes interrompues par la foule soudainement en délire, les vedettes font leur entrée. Nous nous y rendons, nerveuses, nous faisons nos premiers pas sur le tapis rouge, entre Garou et Luc Plamondon ainsi que David Foster et son épouse. La seule attention que nous recevons des médias est de nous barrer la route pour être certains que nous ne serons pas sur les photos! Pourtant, nous étions mignonnes et aucune de nous n'a trébuché. Nous regardons autour de nous pour ne rien manquer.

C'est avec nos yeux et oreilles grands ouverts que nous nous rendons à nos sièges. On nous a placées près de la dernière rangée du premier balcon. Ça doit faire partie du concept, on cache les musiciens et leurs femmes aussi! Par chance, j'ai mes lunettes (il y a de la place dans ces petits sacs, tout de même). Sur les sièges, un sac noir portant le nom du spectacle et à l'intérieur se trouvent un programme, un flacon du nouveau parfum de Céline, un porte-clés d'une certaine marque de voiture et un mot du créateur et de la chanteuse que je ne lis pas au cas où ça serait un mot d'excuse. Évidemment, Véronique et moi délirons là-dessus quand les lumières s'éteignent.

Chut, ça commence. Une chanson, deux chansons, trois chansons. Ouais, pas certaine. Quatre chansons, cinq chansons, concentre-toi. Six chansons, sept chansons, toilette, retouche maquillage, huit chansons, neuf chansons, dix chansons. C'est quoi ça? Et ce, jusqu'à la fin. Après quatre-vingt-dix minutes et vingt-deux chansons (ouf) les lumières se rallument, ça me fait presque sursauter.

Je suis assommée et plutôt déçue. Selon moi, la fusion entre la musique pop et ce monde théâtral/imaginaire ne se fait pas du tout. Le voyage ne commence jamais, la magie, pour moi, n'y est pas. Peut-être ai-je seulement besoin de recul. Après avoir retrouvé mon musicien, nous n'avons pas le cœur à la fête. Il a éprouvé des problèmes techniques durant le spectacle, il est déçu. De toute façon, il n'y a pas de fête car nous sommes en guerre. Même « les Oscars », deux jours auparavant, ont annulé la réception qui devait suivre le gala, donc pas de fête.

Nous nous retrouvons quand même un petit groupe à prendre un verre et manger une pointe de pizza. Puis, nous rentrons. Je me démaquille et me mets au lit, il est 11 h, vraiment très, très *glamour*! Le lendemain, mes impressions sont toujours les mêmes.

Heureusement, avec le temps, le spectacle se transformera et trouvera sa propre identité. Apparaîtront de nouveaux costumes pour la Chanteuse et les danseurs. L'ordre des chansons sera remanié. Ces changements seront des plus bénéfiques et *A New Day* prendra son envol. D'ici-là, soir après soir et semaine après semaine, c'est salle comble. La boutique souvenirs est pleine à craquer presque en tout temps. Donc, j'imagine que tout va pour le mieux dans le meilleur des mondes. Je peux donc terminer de déballer nos dernières boîtes car j'ai l'impression que nous resterons longtemps ici, même si je suis à Las Vegas depuis quelques mois déjà, et que j'arrive tant bien que mal à garder la tête hors de l'eau. L'ouverture du spectacle, *A New Day*, représente aussi un commencement pour moi.

Ces premières semaines de représentations sont un prélude à mon avenir. Lorsque je regarde devant moi, pour l'instant, je ne vois à peu près que des difficultés. Je doute, je compare et je juge (souvent très sévèrement) ce semblant de ville. Et je ne m'habitue certainement pas à me faire appeler *sweetie*, *honey* ou encore *pumpkin* par de parfaits étrangers. Je déteste ça! Alors, un peu par dépit, je baisse la tête (mais pas les bras) et je continue d'avancer.

¿Habla español?

Je savais, avant d'arriver à Las Vegas, que l'État du Nevada n'est pas si loin de la frontière du Mexique. Si je le désire, je peux m'y rendre, en à peu près 6 heures de voiture. Mais je n'y suis jamais allée car, franchement, le Mexique, il est à ma porte!

Au début, je ne le réalisais pas tout à fait. Je rencontrais parfois quelques personnes qui parlaient espagnol, dans les magasins. Nous, les Québécois nous parlons bien français entre nous partout où nous sommes. Mais lorsque je me suis mise à observer, j'ai réalisé que parfois, je n'étais entourée que de Mexicains. Ici, on peut très bien faire sa vie en espagnol sans jamais apprendre l'anglais.

Dans tous les établissements, il y aura toujours quelqu'un qui parle espagnol. De la banque aux bureaux gouvernementaux en passant par l'épicerie et les hôpitaux, sans oublier les casinos. J'ai même eu envie de l'apprendre, moi aussi. Ce que j'aurais peut-être dû faire, car il est souvent arrivé que le Mexique se trouve dans ma cour ou dans celle des voisins. Les compagnies d'aménagement et d'entretien paysagé pullulent ici.

La main-d'œuvre y est presque exclusivement mexicaine. Le paradis pour ceux, sans papiers, ainsi que pour les femmes de ménage qui travaillent dans les maisons privées. Quand ils arrivent, le Mexique débarque chez vous! Basanés, chapeau de paille, musique traditionnelle en sourdine pour les plus discrets et souvent plus assourdissante, pour ceux qui s'en moquent. Je préfère ceux qui s'en moquent, car au moins ça met de l'ambiance. Ils sont toujours au moins deux ou trois par équipe, ça parle, ça rit tout en travaillant.

Ces petites fiestas mexicaines, je remarque qu'elles n'arrivent que chez moi. Chez mes voisins, je n'entends que le bruit de leurs outils électriques. Pourquoi est-ce plus décontracté chez moi, me demanderez-vous? Peut-être parce que moi, je leur dis, Holà! Quand ils arrivent, je leur parle, souvent par gestes. Mais bon, je leur offre de l'eau et leur laisse savoir que je suis satisfaite de leur boulot. Les premières fois qu'ils venaient, je voyais leur surprise et surtout leur malaise, devaient-ils me répondre? Certains souriaient timidement en gardant la tête baissée, cette quasi-soumission me rendait des plus mal à l'aise. Même si je n'ai pas passé la frontière en douce, parfois, je pense que mon statut vaut bien le leur.

Je me suis mise à observer les autres équipes dans mon quartier, à épier mes voisins pour voir comment ils les accueillaient et surtout, de quelle façon leur patron, souvent un Américain, les traitait. Je n'ai pas eu besoin de les observer bien longtemps pour m'apercevoir que la main-d'œuvre bon marché est traitée en main-d'œuvre bon marché. Pas beaucoup de considération et de respect, des journées de 12 heures pour un salaire de misère.

Tout près de chez moi, il y a une pépinière et à l'entrée de celle-ci, se trouvent toujours quantité de Mexicains. Je me suis longtemps demandé ce qu'ils faisaient là. Curieuse, je les ai interrogés. Ils y passent la journée dans l'espoir que des entrepreneurs ou encore simplement quelqu'un comme moi, aient besoin de main-d'œuvre pour la journée. Je pourrais donc en prendre quelques-uns et refaire peindre ma maison au complet pour presque rien. Évidemment, cette pratique est illégale mais ça ne semble pas poser problème car des attroupements comme celui-là, il y en a aux quatre coins de la ville.

Même si je suis généralement respectueuse et attentionnée envers eux, je dois avouer que je perds parfois mon calme et mon sourire. Car mes petits amigos, ils n'étaient pas tous des jardiniers avant d'arriver ici. Certains font leur possible, je le comprends. Quand ils m'arrachent une plante ou mutilent mon arbre, on dirait bien que l'espagnol me vient plus facilement! Lorsque nous faisons faire des travaux de rénovation ou d'entretien dans la maison, c'est à peu près toujours la même chose.

La personne qui se présente pour soumettre un devis est toujours un Américain très entreprenant, très connaissant. Il pourra faire ce boulot, les deux doigts dans le nez. La personne qu'il vous faut, c'est nulle autre que lui. Pour le faire taire, vous dites oui. Il semble tellement sûr de lui, de toute façon. Alors, comme prévu, le lendemain matin, on sonne à la porte. Je vois le camion de Ti Joe Connaissant devant la maison. J'ouvre.

« *Holà Signorina.*

– *Holà, good morning* ».

Pas besoin de mentionner que ce n'est pas Ti Joe.

« *Holà* , qu'il me répète.

– *Holà, Holà, Signore Ti Joe*?

– *Ti Joe no coming, no coming, me work* ».

Je me demande si je n ai pas un dictionnaire français/ espagnol quelque part. Je n'ai pas trop le temps d'y réfléchir car amigo est déjà en train de s'installer. Le problème, c'est qu'il ne s'apprête pas à faire la bonne chose.

« *No, no wait* », j'agite aussi les bras pour être certaine que nous nous comprenons.

« *Téléphona Ti Joe* », que je dis.

Il me répond, me fait plutôt signe, que tout va bien. Ha oui, ça va bien? Mais pour combien de temps encore. J'appelle Ti Joe.

« Heu, le monsieur ici, c'est qui?

– Mon employé, le meilleur Mexicain en ville.

– Ben, il ne semble pas beaucoup parler anglais et moi je ne parle pas espagnol. – Non, non, pas besoin de lui parler, il sait quoi faire.

– Ah vraiment, parce qu'il ne me semblait pas très bien parti. Je croyais que c'était vous qui feriez le boulot.

– Je vous dis que c'est le meilleur! »

Bon, je décide de lui faire confiance, à mes risques et périls. Je me retrouve à espionner amigo. Je suis derrière lui presque tout le temps, je lui souris, sourire inquiet, et lui offre tout ce qu'il veut. À voir son boulot, j'ai bien envie de lui offrir un billet aller simple pour le Mexique! Je ne suis pas en train de dire que les Mexicains sont tous des incompétents, non, non, certains Américains aussi!

Par exemple, l'épisode du réfrigérateur. La réparation, par des soi-disant professionnels a duré six mois. Six longs mois sans frigo! Et j'ai dû ruer dans les brancards, en anglais, en espagnol et même parfois en français tellement j'étais en maudit. Mais j'ai fini par gagner! Il nous on offert un réfrigérateur neuf. Je suis femme au foyer maintenant, alors j'ai tout mon temps pour ce genre de casse-tête!

Las Vegas est une ville d'opportunités. Je veux bien. Mais c'est à croire que les gens y débarquent et s'approprient un métier dont ils ne connaissent vraisemblablement à peu près rien. Nous avions engagé une équipe de « professionnels » pour enlever le papier peint dans notre chambre à coucher. Jusque-là, ça allait encore. Les murs, maintenant découverts, doivent être refaits et peints. Ce qu'ils ont fait, en laissant les portes du patio grandes ouvertes. Je sors pour prendre un café (et les espionner, ma nouvelle occupation).

Misère! Notre nouveau mobilier de patio est maintenant à moitié blanc! Je ne décris pas le ventilateur au plafond! J'ai passé je ne sais plus combien de temps à tout gratter! La deuxième salle de bain avait, elle aussi, du papier peint. J'ai peinturé par-dessus! J'ai finalement décidé de prendre soin de mon jardin moi-même. J'en avais marre de retrouver mes arbustes taillés en boules ou en carrés parfaits. Ça n'allait pas tellement bien avec le thème exotique que je voulais donner au jardin. Donc, ma technique, je laisse pousser sans, à peu près, rien faire. Quand ça devient un peu trop sauvage, un simple coup de fil et hop, le Mexique est de retour chez moi pour une petite fiesta!

Seule à LV

Dans quelques jours, le mois de juillet sera là. Notre huitième mois. Malgré la réticence que j'ai à m'intégrer complètement, nous sommes toujours ici, bravant vents et marées. Les jours et les semaines qui passent se ressemblent. Nous allons encore de mésaventures en mésaventures : les travaux de la cour qui ne finissent pas de finir. Il y a aussi ce jour où nous avons fait installer notre adoucisseur d'eau et que le lave-vaisselle a rendu l'âme!

Un de mes chats reçoit maintenant son propre courrier. Il s'est, entre autres, fait offrir du crédit et autres promotions, toutes plus alléchantes les unes que les autres. Insolite, révélateur mais surtout très amusant. Gargamel s'est retrouvé, bien malgré lui, inscrit sur des listes commerciales. Je devais remplir un quelconque formulaire et parce que je ne désirais pas y inscrire mon nom, j'ai choisi celui de mon chat, M. Gargamel Lechat. Ça me fait toujours sourire de lire le courrier qui lui est adressé, « Dear Gargamel ». À chaque fois, je me dis qu'ils sont cons!

Nous avons aussi vécu notre premier « drame ». Véronique nous a tous assommés en nous apprenant qu'elle quittait son conjoint pour aller vivre avec le jardiner! Je sais, c'est cliché mais c'est arrivé et je n'ai rien vu venir, moi, pourtant si près d'elle. Elle habite maintenant à l'autre bout de la ville et nos rencontres sont passées de quatre fois par jour à presque jamais.

Je ne peux quitter le pays au risque de ne pouvoir y revenir puisque je suis toujours à attendre que l'immigration me fasse l'honneur d'un statut autre que celui de touriste. Alors, j'appréhende mon premier été et ses 110/120 fahrenheit, seule dans mon Spa (s'il finit par arriver). Tout le monde, mon musicien inclus, quitte pour un long mois de vacances bien méritées. Je passerai donc mon premier 4 Juillet seule, en sol américain.

Cet exil me donne l'opportunité de redécouvrir ma famille et mes amis par notre correspondance. Quel beau moyen de communication que les lettres et les courriels. Les mots, les phrases, les expressions qu'ils utilisent. En les lisant, je les imagine, je les vois, je me rappelle leurs mimiques et entends leurs rires. Même s'ils sont loin et qu'ils me manquent, en même temps, j'ai l'impression qu'ils sont là, tout près de moi. Chaque jour, ils sont là à écouter mes déboires, à m'encourager, à s'inquiéter et à m'aimer.

Est-ce le hasard, le destin ou notre chemin de vie qui nous a menés à Las Vegas? Je ne sais pas. En fait, avoir l'opportunité de sortir complètement de sa vie et de pouvoir la contempler de l'extérieur est une sensation étrange qui parfois donne le vertige. Commencerais-je à me sentir bien ici? Je dois avouer que je trouve ma banlieue de plus en plus charmante. Je m'endors dans le silence et me réveille avec le chant des oiseaux. Cela me change du boulevard St-Joseph!

J'apprécie aussi de ne pas me faire marcher sur la tête ou de marcher sur la tête de quelqu'un. Ne pas avoir à se préoccuper si la musique est trop forte et si je dérange les voisins en revenant à 4 h du matin. Et puis, cette chaleur tant attendue m'impressionne et m'étouffe à la fois. On m'a dit qu'apparemment notre sang devrait s'éclaircir, ce qui nous permettrait de mieux tolérer la chaleur? Le mien doit être encore bien épais, j'ai tellement chaud, mais j'ai tout mon temps, alors j'attendrai!

En dépit de mes liens encore forts avec Montréal, j'ai décidé de lâcher prise car je ne peux pas vivre un pied là-bas et un pied ici. Je dois arrêter de rêver à la rue Mont-Royal, à mes dimanches avant-midi passés chez Biblos, à lire le journal *Voir* en mangeant une délicieuse omelette fêta, ou encore aux burritos végétariens du Café Eldorado. Il est certain que je souhaiterais pouvoir encore aller m'acheter quotidiennement mes fromages et mon pain chez Le Fromentier, tout comme mes fruits et légumes chez Valmont. Certes, en quittant ma ville natale, je savais qu'il me fallait laisser derrière moi un bon nombre de choses auxquelles j'étais attachées et que je ne pourrai jamais retrouver à Las Vegas.

J'ai consciemment choisi de vivre en banlieue, donc, consciemment choisi d'aller de centres d'achats en centres d'achats en voiture pour faire mes courses, ou de me perdre dans des Walt Mart aussi grands que la galaxie. De plus, il vous faut savoir que je peux « être » à Montréal tous les jours, si j'en ai envie. Rien de plus simple, je n'ai qu'à ouvrir mon ordinateur et hop! Je me tape cyberpresse en entier si je veux. Normalement, avant de lire ce journal, je prends mes courriels. Ainsi je puis papoter allègrement avec mon entourage « virtuel ». En plus de me rapprocher des miens, cette façon de communiquer me procure deux avantages :

1. Je peux porter un affreux t-shirt imprimé d'une voyante inscription rose nanane VIVA LAS VEGAS qu'ils ne verront jamais!

2. Ils me racontent tout. Donc, je n'ai finalement plus besoin de lire cyberpresse. Et puis, après tout, je me dis qu'être parti loin de chez soi pour quelques années, ce n'est pas la fin du monde. Je décide donc de regarder droit devant moi et de vivre cette expérience, le mieux possible.

En retraite, malgré tout

Nombreux sont ceux qui rêvent de prendre une année sabbatique. Moi, honnêtement, je ressens de l'insécurité à l'idée d'en avoir trois devant moi. Je suis inquiète, je me pose mille et une questions. Est-ce que la valorisation et l'épanouissement de soi ne s'acquièrent que par le travail? Est-ce que je pourrais dépenser l'argent de mon musicien en me faisant croire que c'est aussi le mien? Est-ce que j'y arriverais? Avoir fait autant de millage pour me retrouver face à moi-même.

Après huit mois à courir d'un Home Dépôt à un autre, avoir commencé à tisser des liens d'amitié, plusieurs longs après-midi à rester au bord de la piscine, un verre de blanc frais dans une main et un livre dans l'autre. Je dois maintenant faire face à la musique. Je n'aurais pas cru que m'ajuster à ma nouvelle situation serait si difficile.

Je me suis couchée un soir en me disant O.K., demain est ta première « vraie » journée de retraite. Au matin, quelle a été ma surprise en me réveillant avec un nœud dans l'estomac! Pas de panique, au fait, pourquoi est-ce que je panique? Est-ce que d'avoir à choisir quel livre je vais lire est paniquant? Non! Est-ce que d'aller marcher dans le désert est paniquant? Non! Mais si on pense aux serpents. Oui! J'ai l'intention d'apprendre à faire la cuisine, perfectionner mon anglais, arrêter de fumer (oui, oui!) faire de la méditation et me remettre en forme. J'ai l'intention aussi de découvrir la Californie, l'Arizona, l'Utah et en plus, faire quelques petits sauts à Montréal, de temps en temps. Tout ça me semble parfaitement viable comme plan de retraite.

Alors, je me calme et me promets de ne m'en tenir qu'à mon plan. Je me réveille donc le matin avec cette merveilleuse impression d'être libre. Ma première question est toujours « qu'est-ce que j'ai envie de faire aujourd'hui? ». Je remarque aussi que, lorsque je fais des marches, ne pensant à rien de précis, plusieurs souvenirs me reviennent, des souvenirs d'enfance ou des plus récents, des souvenirs d'odeurs aussi. Moi qui croyais avoir presque tout oublié de cette période-là, tout me revient maintenant, agréable ou pas. Ce qui me fait réaliser à quel point, dans notre vie à cent à l'heure, le stress et les soucis quotidiens prennent le dessus, et ce, sans vraiment trop s'en apercevoir.

Cette expérience enclenche donc ma première phase de désintoxication. Je fais le plein de livres traitant de sujets spirituels, psychologiques ou portant sur le développement personnel. J'ai la ferme intention qu'à l'avenir, je resterai toujours connectée. Je lis, je médite, fais les exercices suggérés. J'arrive même parfois à atteindre la sensation ou l'émotion décrite. Un de ces exercices consistait à s'asseoir devant une plante et de lui transférer toutes mes inquiétudes pour enfin me libérer.

Quand j'ai raconté cette expérience à Viviane et à Véronique, j'ai bien vu la surprise, le doute et surtout l'inquiétude dans leurs regards! Je suis aussi tombée dans le Feng Shui. J'ai fait des rituels pour purifier la villa, la voiture. J'ai aussi eu ma phase où je cachais des photos d'objets que je désirais ou encore des messages demandant telle ou telle chose à l'univers. Je les cachais pour deux raisons :

1. Ne pas les voir facilitait le lâcher prise (c'était ce que le livre suggérait).

2. Franchement, mon musicien m'aurait pris pour une folle!

Dans la foulée, je ne me souviens plus très bien mais j'ai probablement dû exorciser mes deux chats aussi! J'ai fait l'exercice de la méditation dans le désert. Je n'ai jamais atteint le nirvana promis car j'étais trop stressée par la possibilité d'une rencontre avec un serpent. Pas question de m'asseoir par terre et encore moins de fermer les yeux. Je devais écouter le silence, je me concentrais seulement sur les petits bruits environnants. J'avais toujours mes livres avec moi mais j'étais surtout prête à les lancer sur la première bibitte qui apparaîtrait!

Je dois aussi m'adapter à la présence quotidienne de mon musicien à la maison. Lorsque j'ai rencontré Yves, je savais pertinemment que son mode de vie était très différent de la majorité des gens, incluant le mien. Notre relation était souvent entrecoupée, à cause des tournées mondiales de Céline. Nous avons vécu de longues périodes d'absence, et ce, durant plusieurs années. Il en était de même à la maison, ce n'est pas le genre de gars qui reste longtemps sans rien faire. Souvent nos horaires étaient inconciliables. Parce que le spectacle de Las Vegas était un spectacle permanent, cela m'inquiétait un peu car nous allions vraiment vivre ensemble pour la première fois.

Je me couche tous les soirs avec lui et me réveille tous les matins avec lui. Du nouveau dans notre relation. Bien que la maison soit grande, nous finissons toujours par nous retrouver face à face à un moment ou à un autre. Nous adorons ça, du moins pour l'instant! Notre semi-retraite *las vegasienne* nous permet maintenant enfin d'être ensemble et d'apprécier notre nouvelle vie, notre nouvel environnement, la nature et le silence. Nous accomplissons des tas de choses que nous repoussions toujours à Montréal, malgré les meilleures intentions. Ainsi, chaque jour, mon musicien me dit combien il est heureux que je sois auprès de lui. « Je ne me verrais pas seul, pogné dans cette banlieue plate avec ces Américains. » et de lui répondre, « Moi aussi, je t'aime! ».

De quoi m'occuper

Néanmoins, cette deuxième lune de miel est assombrie, pour un certain temps, en raison de ma dépendance financière. J'avais toujours eu l'impression que de dépenser l'argent des autres serait beaucoup plus facile. J'ai désenchanté assez rapidement. Dépenser mon propre argent est certainement plus agréable et surtout beaucoup plus valorisant, sans oublier le sentiment de liberté que ça procure.

Nous avons beaucoup de difficultés ici à obtenir du crédit, la banque ne reconnaît pas notre crédit, déjà établi au Québec depuis belle lurette. Nous devons donc composer avec ça. Mon musicien obtiendra, après plusieurs semaines, une carte de crédit avec un beau gros 500 $ de limite! Et moi, je n'existe pas ici, mon statut de touriste ne me permet pas d'ouvrir un compte bancaire. Donc, je dois demander de l'argent à mon musicien pour tout, et entendre chaque fois le même sermon quand je quémande des sous pour des cigarettes (il a en horreur que je fume). Cette situation me rend inconfortable, j'ai l'impression d'avoir les mains liées. Le ton monte vite et la tension s'installe. Je finis par obtenir une carte de crédit, via Yves, 500 $ de liberté par mois, 500 $ de fausse liberté devrais-je dire.

Au début, je croyais que ce montant était dérisoire, rien de plus facile que de claquer 500 $, me disais-je. Mais voilà, chaque fois que je sors ma carte plastique pour régler un truc, je me sens mal. Ai-je vraiment besoin de ce chandail? Est-ce que ce restaurant n'est pas un peu dispendieux? Est-ce que je veux vraiment voir ce spectacle? C'est son argent après tout. Un sentiment de culpabilité m'habitait. Pour me convaincre, je me disais que nous nous étions entendus à ce propos avant de déménager, que j'avais laissé (ô sacrifice!) ma vie à Montréal pour le suivre, que je participais, à ma façon en prenant soin de notre nouveau nid. Mon Dieu, je pourrais quand même faire l'effort de cuisiner pour lui! Durant notre période de réflexion, à savoir si nous allions faire le saut et accepter de vivre à Las Vegas, nous savions d'ores et déjà que je n'aurais pas le droit de travailler aux États-Unis.

Or, après plus d'une année complète en mode pause, je commence sérieusement et sincèrement à ressentir le besoin de me réaliser, d'être plus active, un peu de valorisation, quoi! Je pensais souvent à ce que j'avais professionnellement accompli par le passé, et le fait que j'avais bien eu une vie active.

Dès les premiers mois de mon exil, j'avais écrit, sous forme de journal intime, mes sentiments à l'égard de mon implantation au cœur du désert. Projet que j'ai vite laissé tomber. J'ai finalement repris l'idée en proposant un article concernant les Québécois exilés à Las Vegas à un magazine du Québec. Ma première incursion dans le domaine de l'écriture c'est donc faite via le magazine *Clin D'œil*, par un article intitulé *Les Québécois envahissent Las Vegas* (paru en décembre 2003). Une occasion qui m'a permis de sortir de mon cocon pour rencontrer d'autres Québécois. Parution en décembre oblige, j'avais donc le mandat de faire découvrir comment ces exilés vivent Noël dans le désert et loin de leur famille.

Apparemment, l'écriture est thérapeutique, dans mon cas, ce fut ces rencontres qui m'ont aidée. J'ai réalisé que ces exilés, arrivés bien avant moi, avaient vécu à peu près ce que je vivais moi-même. J'étais donc normale!? À la fin de ma rencontre avec Sylvie Fréchette, elle m'a dit :

« Tu sais, nos racines sont au Québec, et qu'importe l'endroit où nous nous trouvons, notre maison et nos amours sont à l'intérieur de nous. »

Pareille à un baume, cette affirmation m'a fait le plus grand bien. Emballée par ce premier projet d'écriture, j'ai eu envie de faire connaître la culture québécoise aux gens d'ici. Ils ont tous vu ou entendu parler du Cirque du Soleil et de Céline Dion, mais savent-ils que ce sont des Québécois?

Ils sont toujours surpris que nous soyons des Canadiens qui parlent français. Pour la majorité d'entre eux, le Canada est un pays anglophone. Bref, je me promets de leur faire découvrir qui nous sommes, d'où nous venons, ce que nous faisons ici, etc. Nous recevons à la maison un magazine plutôt intéressant et bien fait, j'envoie donc un courriel à la rédactrice en chef, lui expliquant mon projet. Je reçois très rapidement une réponse positive, elle trouve l'idée très bonne et me donne donc le mandat.

C'est donc armée de mon dictionnaire anglais/français, que j'entreprends mon deuxième défi. Quelques jours plus tard, je reçois un appel de la rédactrice qui m'apprend qu'il y a un petit changement dans sa commande, la parution sera pour le mois de décembre. Elle préfère que j'écrive un article sur nos traditions des Fêtes (encore Noël!!!). Je suis déçue, je ne peux pas croire que je vais être *pognée* à écrire sur la tourtière et le réveillon. Je lui ai dit que c'était une excellente idée (!!) et je l'ai fait. Le titre de l'article est *A Merry Montréal Christmas*.

Quelques mois plus tard, je reçois un appel de Montréal. *La Presse Télé* a l'intention de produire un documentaire concernant les Québécois à Las Vegas (décidément, nous sommes à la mode!) et me demande si le projet m'intéresse.

Je ne connais rien de cet univers télévisuel, mais je connais par contre très bien le sujet. Je dis oui, advienne que pourra. C'était la plateforme idéale pour remettre quelques pendules à l'heure, faire découvrir aux gens qu'ici, il est possible d'avoir une vie normale.

Non, nous ne vivons pas sur la *Strip*, nous ne sommes pas qu'une gang de fous qui ont choisi d'émigrer au pays du gros, du faux. Que, pour plusieurs, la vie ici sera toujours meilleure qu'une vie au Québec. Surtout pour des artistes ou des athlètes, qui, grâce au Cirque du Soleil et à Céline, ont la possibilité de bien vivre de leur métier. J'ai aussi rencontré des Québécois qui œuvrent dans des domaines autres que l'industrie du spectacle, des gens travaillant dans le secteur de la construction, de l'esthétique, sans oublier celui des casinos.

Une communauté québécoise existe donc bel et bien à Las Vegas. Faire la rencontre d'un Québécois équivaut à en rencontrer au moins cinq autres. Nous arrivons tranquillement à nous retrouver dans cette vaste population de deux millions d'habitants! Faire partie de ce projet *Du Québec à Las Vegas* a été une expérience très enrichissante. Par le biais de ce documentaire, plusieurs de ces rencontres se sont transformées en amitié durable. Maintenant, dans mon bureau, au-dessus de mon ordinateur, j'ai encadré les deux articles que j'ai écrits ainsi que la page couverture du *TV hebdo* et la photo d'équipe du documentaire. On s'accroche à ce qu'on peut! Quand arrive un coup de barre, je lève les yeux et quand je vois ça, je suis fière de moi : deux papiers et un documentaire. Ce n'est pas la mer à boire, mais ce sont des choses que je n'avais jamais faites. J'étais en terrain inconnu. T'es bonne, t'es belle, t'es capable, me suis-je dit, et j'ai su très bien relever ces trois défis!

Un véritable B & B

Grâce, entres autres, à ces trois projets, mon quotidien prend forme et devient de plus en plus agréable. Je me sens de mieux en mieux. Une routine s'installe enfin. De plus, j'ai de moins en moins de temps pour mes interminables questionnements existentiels car lorsque nous avons fait l'acquisition de la villa, il ne m'était jamais venu à l'esprit que le terme *Bed & Breakfast*, ou carrément hôtel, serait plus approprié que villa. Effectivement, j'ai littéralement un calendrier à côté du téléphone, pour prendre en note les dates de séjours de la visite. Faire attention qu'il n'y ait pas de conflits d'horaire.

Nous n'avons parfois que quelques heures entre le départ et l'arrivée de la nouvelle visite! Bien sûr, avant de partir de Montréal, tout le monde me disait « Nous viendrons te faire un coucou dans ton nouveau chez-toi. » Je n'aurais pas pensé qu'ils tiendraient leurs promesses en aussi grand nombre! Et ce, sans compter le nombre de fois où j'ai entendu les gens dirent que Las Vegas n'était vraiment pas leur genre de destination, qu'ils avaient bien d'autres endroits à découvrir avant elle. Ils prononçaient Las Vegas du bout des lèvres et avec dédain.

Toute cette visite a même influencé mon choix de voiture. Elle se devait pratique, confortable et surtout avoir un grand coffre pour les valises. J'ai donc acheté une grosse Pontiac Grand Prix, de couleur vert bouteille, vitres teintées et enjoliveur de couleur or, une vraie *pimpmobile,* quoi! Autant faire dans le genre « Vegas » et les mettre dans l'ambiance dès leur arrivée! Comment douter de mes efforts pour m'intégrer après avoir vu ma bagnole!

En plus d'avoir à jouer notre rôle d'hôtes, il semblerait que les gens nous prennent aussi pour la billetterie principale de *A New Day* et des autres spectacles de Las Vegas. Ce n'était pas ma première expérience avec des demandes de billets car dès que Céline mettait les pieds au Centre Bell, le téléphone sonnait chez nous. Pour la famille et les amis intimes, c'est un plaisir. Le problème c'est les autres, les amis d'un ami, le cousin d'un ami d'un ami. L'ami d'un ami qui a mis la main sur nos coordonnées par la cousine de la tante d'une amie. Sans compter tous les disparus de nos vies qui refont surface après plusieurs années. Des gens que nous ne connaissons pas ou à peine, qui eux présument que ça sera gratuit et qu'en plus, ils pourront rencontrer la chanteuse. Et les centaines de demandes d'autographes par année!

Mon musicien et moi avons fait faire plusieurs tours privés du théâtre et des coulisses à nos invités, durant toutes ces années et presque à chaque fois que nous passions devant la porte de la loge de Céline, c'était la même chose, ils la touchaient (la porte), la prenaient en photo ou pire encore, certains ont même osé cogner!! Chaque fois, le cœur battant, je me disais « faut pas qu'elle sorte! ».

J'aime beaucoup avoir de la visite. Par eux, j'ai découvert plein de nouveaux endroits. En plus de les héberger, il fallait aussi les sortir! Nous nous sommes baladés dans certains parcs nationaux tel que, Red Rock Canyon, Valley Of Fire, Death Valley et le Grand Canyon. Avec certains visiteurs nous avons même poussé jusqu'au bord de la mer, en Californie. Et bien sûr, la *Strip*, en long et en large. Plusieurs souvenirs mémorables, des photos et encore plus de photos. Dans le désert, nous avons vu des ânes et des chevaux sauvages, de ravissants cactus en fleur, des tortues et des paysages magnifiques, parfois même lunaires. Quantité de pique-niques sur des rochers et ce, sans jamais apercevoir un seul serpent. Tout ça, entrecoupé de séances de magasinage.

Mon musicien me dit tout le temps que ce n'est pas parce que eux font du shopping que je suis obligée d'en faire, moi aussi, à chaque fois. Surtout quand sa sœur débarque! J'ai donc découvert Las Vegas et ses environs, en grande partie, par et pour eux. Mais j'ai dû vite dénicher de nouveaux restaurants, des endroits pour aller boire un verre, un nouveau parc national, de nouveaux sentiers pédestres, etc. Je le faisais un peu pour eux, mais surtout pour moi qui se tape toujours les mêmes endroits, semaine après semaine! Combien de fois encore pourrais-je visiter le barrage Hoover Dam. Combien de « jour de la marmotte » avant d'être complètement aliénée?! Je suis tout de même fière de leur faire découvrir mon nouveau coin de pays, surtout les endroits hors *Strip*.

La visite, ça pose aussi beaucoup de questions et j'ai vite réalisé que je ne connaissais rien de mon nouvel environnement. Je me suis rapidement sentie un peu niaiseuse avec mes « je ne sais pas », ou encore, « aucune idée ». J'ai donc acheté des livres et farfouillé sur le net pour trouver tout ce qu'il y avait sur la ville. J'avais toujours eu la vague idée que ce drôle d'endroit était né de l'imaginaire de Bugsy Seagal. Mais non, Las Vegas avait une vie avant lui. Évidemment, je ne veux rien enlever à ce célèbre mafioso, c'est tout de même lui qui a eu la vision de créer cette oasis que l'on connaît aujourd'hui.

Las Vegas, son histoire

Cependant, ce désert longtemps sans nom a vu plusieurs générations de voyageurs s'attarder aux abords de ses ruisseaux pour s'abreuver, se laver et faire boire les chevaux et les mules. Une halte improvisée pour ces premiers voyageurs (1832-1848) qui empruntaient le Old Spanish Trail, une fois l'an, du Nouveau Mexique (Santa Fe) jusqu'à Los Angeles où ils échangeaient des couvertures contre du bétail. Au début de l'année 1855, les mormons ont établi une mission religieuse dans cet endroit stratégique qui reliait l'Utah, la ville de San Bernardino (Californie) et l'océan Pacifique. Ils ont donc construit un fort, cultivé la terre et découvert des mines d'argent dans les montagnes environnantes. Ils accueillaient les gens de leur communauté comme les autres voyageurs qui empruntaient la Old Spanish Trail. Ils ont dû abandonner le fort en 1858, à cause du mauvais voisinage avec les indiens qui devenaient, pour eux, de plus en plus insupportables et très difficiles à assimiler. Durant les années qui ont suivi, plusieurs ont essayé de reconstruire ce que les mormons avaient laissé derrière eux sans jamais y parvenir. En 1865, arrivait Octavius D. Grass qui transforma les ruines du fort en un grand ranch. Il accommoda les voyageurs en leur louant un endroit pour dormir, manger. Il y était aussi possible de ferrer les chevaux, réparer les roues de wagons et il y avait même un petit magasin général.

La ville de Las Vegas fut officiellement fondée en mai 1905. De 1910 à 1930 la ville fut principalement ferroviaire. La construction du barrage Hoover Dam, sur la rivière Colorado, débuta en 1930, ce qui fera doubler sa population. Déjà, la rue principale (Fremont) est bordée d'hôtels, de saloons et autres commerces. Le jeu est finalement légalisé en 1931. L'hôtel/

casino El Rancho est le premier à s'installer à l'endroit que nous appelons aujourd'hui *Las Vegas Strip*. Nous sommes le 3 avril 1941, Bugsy Seagal est l'un des propriétaires. Le célèbre hôtel/casino Flamingo ouvrira ses portes le 26 décembre 1946 (restaurant, casino et théâtre) mais l'hôtel sera complété en mars 1947. Et puis, le reste appartient à l'histoire.

Voilà donc, en accéléré, la naissance de la ville du clinquant et de la paillette. La naissance d'une ville encore toute jeune (un peu plus de 100 ans), qui ne vieillit jamais, qui semble être en constante transmutation. Une ville où 10 ans dans l'espace-temps équivalent à 30 ans ailleurs, tant les changements y sont rapides. Une ville parfois quétaine et kitsch mais où tous les rêves sont permis. Là où les projets les plus fous peuvent devenir réalité. Des projets qui, hors de Vegas, seraient souvent inconcevables. Des opportunités de travail sans fin, ici la création n'a pas de limites car les extrêmes et la démesure sont permis. Une ville où la culture a toujours fait défaut, mais qui rectifie tranquillement son tir en devenant, de plus en plus, une plaque tournante de l'industrie du spectacle, grâce, entre autres, à plusieurs Québécois et à des spectacles de grande envergure.

Si les Québécois prennent d'assaut la *Strip*, les Français aussi, mais eux se démarquent dans le domaine de la restauration. Le gros burger dégoulinant perd donc du terrain au profit de la gastronomie de restaurants beaucoup plus raffinés. Las Vegas est, en ce moment, la deuxième ville aux États-Unis, après Phoenix, Arizona, à connaître un tel boom économique. Les travaux de construction sont partout. Les autoroutes s'élargissent à vue d'œil, les développements immobiliers poussent aux quatre coins de la ville comme des champignons. Les vieux casinos/hôtels ont implosé pour laisser place à des complexes encore plus grands et surtout plus spectaculaires les uns que les autres. Qu'ils aient été des hôtels mythiques, on a l'impression que la ville s'en fout complètement. Au diable les bâtiments patrimoniaux.

Plus de 30 millions de touristes par année débarquent à la recherche de plaisirs, attirés par l'appât du gain. La *Strip* est le cœur de la ville, l'organe le plus important qui bat à cent à l'heure. Les hôtels sont spectaculaires, toujours plus gros les uns que les autres. En quelques heures seulement, vous pouvez visiter Paris, Venise, Rome, une pyramide égyptienne ou encore flâner près du lac de Come. Ici, Elvis est toujours vivant, il côtoie Frank Sinatra et César. Un volcan fait éruption plusieurs fois par jours. On peut assister à une impressionnante bataille entre pirates et sirènes, voir les bateaux qui coulent, admirer les feux d'artifice. Beaucoup de bruit et pas beaucoup de vêtements. Du marbre, de la dorure et encore plus de marbre et de dorure.

Tout vous ramène à l'argent, le rêve, l'illusion. Le rêve américain à son apogée. La ville du vice où tous les fantasmes sont réalisables, quels qu'ils soient. La devise de la ville « What happen in Vegas, stays in Vegas » (ce qui se passe à Vegas, reste à Vegas) en dit long sur la moralité. Ici, il n'y a qu'une valeur et c'est celle de l'argent. Les fondations de la ville reposent sur le jeu, le sexe et l'alcool. C'est le merveilleux monde de Disney pour adultes!

Garder l'équilibre au quotidien dans cette démesure

Tout ça met mon nouvel et surtout fragile équilibre spirituel à rude épreuve. Cette sensation d'effervescence déborde aussi jusque dans la banlieue. J'ai donc l'impression de vivre constamment dans une info pub sur le bonheur. Tout semble simple, facile et à la portée de tous.

Comment peut-on rester équilibrée en vivant quotidiennement dans cette démesure? C'est un combat perpétuel que j'entretiens avec moi-même. Premier combat que je gagne haut la main : le jeu. Je n'ai par contre aucun mérite car le jeu me révulse. Je trouve ça tout à fait aliénant, du moins, les machines à sous. J'ai bien sûr joué depuis que je suis ici. Je l'ai fait malgré moi, quand ma visite s'accrochait les pieds dans les casinos par exemple, et souvent pour plusieurs heures. Il m'arrive de glisser un billet vert dans la fente d'une machine. Je regarde les symboles, n'y comprends rien. Je les regarde tourner devant moi et après quelques tours, mon regard reste fixé sur l'appareil et mon esprit est loin, très loin de cette machine à illusions. L'ambiance me déprime aussi, ne jamais savoir s'il est trois heures de l'après-midi ou trois heures du matin. La lumière ne pénètre pas dans l'antre du jeu. Au moins les drinks sont gratuits, moyennant un pourboire, et je peux fumer à ma guise!

Il est difficile d'avoir accès à des statistiques crédibles qui portent sur les ravages du jeu. Ici, on n'en parle jamais, ici on s'amuse, ici on ne veut pas savoir. Rarement peut-on voir des affiches mentionnant que le jeu doit rester un jeu. Message plutôt invraisemblable pour une ville aussi décadente! Les chambres n'ont pas de balcon, impossible aussi d'ouvrir les fenêtres. J'imagine qu'ils se sont lassés de ramasser les loosers à la petite cuillère! Dans les casinos, l'ambiance est festive, ça rit, ça crie, comme si les gens gagnaient le gros lot à chaque tour! Tout le monde semble prendre son pied mais je sais très bien que ce n'est pas le cas pour tout le monde.

Surtout aux petites heures du matin, il est possible de voir des gens livides déambuler dans le casino, tels des zombies. Je me rappelle cet homme qui jouait à la roulette à côté de nous, sourire aux lèvres, un verre à la main. Je l'ai retrouvé à cinq heures du matin, assis par terre, à l'entrée des toilettes, se cachant le visage de ses mains pour pleurer. Futile de lui rappeler que le jeu doit rester un jeu. Je ne sais d'ailleurs pas ce qu'ils font avec ces gens-là, mais chose certaine, ils disparaissent assez vite. Ce n'est pas exactement le genre de publicité que les casinos désirent.

Un soir, j'ai rendez-vous avec deux amis pour prendre un verre dans un pub près de chez moi où il y avait, évidemment, des machines vidéo poker encastrées dans le bar. Je croyais que nous parlerions jusqu'aux petites heures du matin. Au contraire, je me retrouve assise entre les deux, sans parler. Ils sont concentrés, le visage rivé sur l'écran. Je sirote mon verre de vin et essaie de ne pas trop les déranger. Je suis évidemment l'ennuyeuse qui ne joue pas, la casseuse de *party*. Celle qui les condamne par son silence. Après une heure très ennuyante, je me décide à sacrifier un gros vingt dollars. Dès que je me mets à jouer, ils sortent de leur torpeur et me regardent. Je vois dans leur regard un peu de surprise comme :

« T'es encore là, toi!? »

Après trois tours à vingt-cinq sous, je gagne 250 $!!! Je sais même pas pourquoi et comment je gagne. Ils me fusillent du regard car mes deux loosers ne font évidemment que perdre. Ils me traitent de *rich bitch*! Je les assomme en demandant au barman de me payer.

« Quoi, tu joues plus?!

– Ben oui, je vais finir les 19,25 $ qui me restent... »

Je suis presque gênée d'avoir gagné.

Les milliers de machines à sous et tables de jeux ne sont que la pointe de l'iceberg. Les joueurs, les gros, les vrais, ceux qui perdent ou gagnent des milliers et millions de dollars, ceux que nous appelons les *high roller*, ceux qui utilisent les jets privés des hôtels et ceux qui reçoivent de luxueux cadeaux, voitures de luxe, entre autres, les casinos les traitent aux petits oignons. Rien ne leur est refusé. Ceux-là, on ne les voit pas, ça se passerait dans des endroits très privés, aux étages, au sous-sol? Je ne le sais pas. C'est grâce à eux que cette ville a pu émerger dans ce désert.

Outre le jeu, il y a l'appel criant du luxe. C'est ici que je perds parfois pied, que mon combat en devient vraiment un, un de taille! Des boutiques comme Chanel, Gucci, Armani ou encore Dior me narguent et me font mourir d'envie avec leurs vêtements ou accessoires hors de prix. Lorsque je rencontre des gens avec des sacs à l'effigie de ces inaccessibles boutiques, je me demande toujours qui ils sont et comment ils font pour se payer ça. Je sais bien que les gens que je rencontre sont ici en vacances, et que fait-on, en vacances? Et bien, on dépense!

Les restaurants, les bars et les magasins sont toujours très achalandés. Ce luxe criant brille aussi jusque dans ma banlieue. Mes voisins semblent tout aussi en moyen que les touristes, avec leur belle grande maison, une, deux ou trois voitures de luxe dans le garage. De l'extérieur, tout semble parfait, encore cette impression de bonheur perpétuel.

J'ai pris la mauvaise habitude d'aller visiter des maisons à vendre, plus grandes et plus belles que la mienne, avec des cours et des piscines à faire rêver. Des maisons sur des terrains de golf ou encore au pied des montagnes.

Aussi, quand je m'arrête à un feu rouge, je regarde les voitures autour de moi. Au même coin de rue : quatre Mercedes, trois BMW, deux Jaguar et une ou deux Porsche. *Coudonc*, ils les donnent, ces autos-là?! Où sont donc passées les Toyota, Nissan et Honda de ce monde? Avant, je n'avais jamais été attirée par les voitures mais maintenant, je les connais à peu près toutes, surtout les marques de luxe! Pourtant, à Montréal, j'étais très contente de ma Honda Civic et lorsque j'ai fait l'acquisition de ma *pimpmobile*, j'étais très fière d'elle, aussi. Maintenant, quand je la vois, jour après jour, à côté d'une Mercedes, je trouve qu'elle a piètre allure! Tout ça n'a pas de bon sens, ce n'est pas moi, ça.

Pour me raisonner (lire plutôt consoler), je me dis que tout ça ce n'est que du matériel, que la plupart de ces gens-là vivent à crédit, et que rien de tout ça ne leur appartient vraiment. Tout ce paraître peut s'évaporer en un instant (merci livres spirituels!). Ils vivent comme si demain n'existait pas, pas de budget et pas de planification non plus. Nous sommes au pays de la surconsommation. Ils dépensent plus qu'ils ne gagnent sans s'en soucier, on dirait bien. Tant que les banques les laisseront vivre au-dessus de leurs moyens, ils continueront dans cette veine. J'ai bien l'impression que tout ça va s'effondrer d'un moment à l'autre. Peut-être que non, mais si jamais ça arrive, j'espère être loin! Par contre, mon musicien et moi, c'est du vrai, du solide,, rien à crédit, rien que nous ne puissions nous permettre. Nous pouvons dormir sur nos deux oreilles, nous ne perdrons rien.

Malgré tout, j'ai tout de même de la difficulté à garder l'équilibre, surtout quand je me ballade dans la Rolls Royce d'une amie. Quand, subtilement, je dis à mon musicien que j'aimerais changer de voiture ou que je laisse des pamphlets de maisons à vendre, bien en vue, sur le comptoir de la cuisine, exaspéré, il me dit :

« Tu veux du luxe, tu as déjà du luxe sauf que tu ne le vois pas. Est-ce que tu dois mettre ton cadran le soir pour aller travailler le lendemain? Non. Tu fais tout ce que tu veux, tu as tout ton temps, tu voyages, tu n'as aucun souci financier. C'est quand la dernière fois ou tu as dû payer un compte? Ce n'est pas du luxe que de vivre comme ça, peut-être?! T'es une drôle de fille, toi, avec ton côté si spirituel mais en même temps, tellement matérialiste. Fais attention ma belle, tu deviens de plus en plus bourgeoise! »

Mon Dieu, lirait-il mes livres de spiritualité 101 en cachette?! Évidemment, ce genre de discours me ramène assez vite les deux pieds sur terre. Bien sûr qu'il a raison, je le sais bien dans le fond! Une chance qu'il est là, mon musicien, pour me rattraper quand je perds pied. Avec lui, aucune chance de tomber dans la démesure!

Je sais, je sais, l'argent ne fait pas le bonheur, mais tout de même. J'avais repéré un sac à main Dior que j'aimais beaucoup. Comme mon anniversaire et Noël approchaient, j'ai décidé d'en parler à mon musicien. Il me demande combien ça coûtait, je ne savais pas. Je vais sur le site Internet de Dior et le sac de rêve est bien là mais aucun prix n'est affiché. Le lendemain, il me demande si je passe par la boutique et je lui réponds que oui. Il me dit :

« Tu iras le chercher ton sac, pour ta fête et Noël.

– Vraiment? »

J'en tremble. Je me précipite alors chez Dior, je suis seule dans la boutique. Les impeccables employés peuvent donc admirer à leur guise ma robe de coton toute simple ainsi que ma queue de cheval un peu défraîchie (je me suis vraiment précipitée!). Pas grave, j'ai une très belle carte de crédit dont la limite a été repoussée avec les années et que j'utilise de plus en plus facilement, sans aucun remord! On peut appeler ça de l'évolution! Bref, ma carte de crédit, j'en suis certaine, compensera pour mon allure. Je demande le prix (ben oui) 2 800 $!!! Je fais le saut. Je m'attendais quand même à moins que ça. Plus tard, en route pour la villa, mon musicien me téléphone :

« J'ai hâte de voir ton sac à main. Heu... Combien il était, finalement?

– 2 800 $ ».

Silence à l'autre bout du fil. Je crois qu'il s'est évanoui.

« T'inquiète, je ne l'ai pas acheté. »

Il est content (soulagé), comme il me trouve raisonnable. Surtout qu'il n'y a pas longtemps, il a flanché et m'a offert la BM tant désirée! Finalement, ça fonctionne assez bien les demandes à l'univers!

Depuis le temps que j'arpente ce boulevard et je n'arrive toujours pas à tracer la ligne entre l'éblouissement ou le mal de cœur. Chaque fois que je pose les yeux sur ces bâtiments monstres ou que j'observe les gens déambulant, un verre à la main, je me dis toujours, c'est ma ville ça. Je vis vraiment ici. Stupéfiant! J'ai alors une pensée pour ma villa, les lacs. Je sais que la vie que je mène vaudra toujours plus que le plus beau sac à main du monde. Une vie douce, paisible et sans grands soucis. Le luxe de vivre à ma guise, en toute liberté. Je savoure et apprécie chaque instant de cette délicieuse façon de vivre. Je tourne mon regard vers les montagnes et je sais que dans un passé pas si lointain, sur les crêtes de ces montagnes, des cow-boys poursuivaient des indiens (ou vice versa) que dans cet autre monde, là-bas, la *Strip* n'existe pas. Malgré les innombrables tentations je réussi tout de même à demeurer assez zen dans ce monde où se perdre est d'une banalité consternante.

Les Québécois à Las Vegas

Si moi je vacille en essayant de garder l'équilibre dans ce monde un peu fou, les millions de touristes, eux, en redemandent. Et non, rien à cirer des cow-boys et des indiens. Parmi eux, bon nombre sont québécois.

Depuis que Céline a pris racine au Colosseum, les Québécois débarquent en masse pour venir voir le spectacle. Les retombées dues à sa présence sont très impressionnantes. L'onde de choc se fait ressentir bien au-delà des murs du Colosseum; compagnies aériennes, hôtels, restaurants, boutiques, autobus, guides, hélicoptères, limousines et même le Cirque du Soleil. Lors de leur passage ici, la majorité des touristes québécois voient *A New Day* et un ou même deux spectacles du Cirque, dans les premières années, *O* et *KÀ*. Dès son ouverture, le spectacle *LOVE*, inspiré de la musique des Beatles, est très vite devenu un des favoris.

Mais pour bon nombre de Québécois, Céline est, dans la plupart des cas, leur motivation principale. Ces vacanciers viennent des quatre coins de notre belle province, Gatineau/ Hull, Sept-Îles, Rouen, Val-D'Or, Saguenay/Lac-St-Jean, Gaspésie, Rouen et bien sûr, Montréal et ses environs. Tout le monde sait qu'elle est l'enfant chérie du Québec mais je n'avais jamais réalisé à quel point.

J'ai entendu bien des choses sur Céline, lorsque, assise à proximité de Québécois dans un restaurant, à l'aéroport, dans l'avion ou simplement en marchant sur la *Strip*, je surprenais leurs conversations. Les gens se l'approprient, ils connaissent tellement de choses sur elle. Lorsqu'ils parlent d'elle, ils l'appellent par son prénom, contrairement à d'autres artistes qu'ils nomment par leur prénom et nom de famille. Elle leur appartient et ne la touchez pas! Car vous aurez affaire à eux!

Je le sais, car j'ai bien failli me faire lyncher. J'étais un peu à l'écart d'un groupe de trois ou quatre dames qui, comme moi, attendaient l'éruption du volcan devant l'hôtel Mirage. J'ai entendu l'une d'entre elles affirmer que Céline se déplaçait en hélicoptère pour se rendre de sa maison au boulot, ce qui n'est évidemment pas le cas. Ce soir, excédée d'entendre cette affirmation pour la millième fois, j'interviens dans leur conversation :

« Vous savez, vous avez un peu raison, il en a été question au début, qu'elle voyage en hélicoptère, mais ça ne s'est pas concrétisé, ses voisins ne voulaient pas. »

Je n'ai pas le temps de finir ma phrase qu'elle me saute presque au visage. Elle me dit, elle crie, serait plus juste, très agressive, elle postillonne :

« Non mais, c'est qui ces gens-là? Hein, c'est QUI?!!! Des gens riches qui se sont fait donner (!!) leur fortune. ELLE a travaillé très dur, a tout sacrifié pour avoir ce qu'elle a. Comment osent-ils lui faire ça, à ELLE!!

– Madame, calmez-vous, voyons! »

De façon très opportune, le faux volcan fait éruption. Je le regarde et me dis que celui qui vient de m'éclater en pleine figure était de loin, beaucoup plus impressionnant! Nonobstant cet épisode, j'aime beaucoup rencontrer les touristes québécois. J'aime prendre le temps de discuter avec eux, leur parler de ma nouvelle ville. Ils sont si curieux des

Québécois qui vivent ici. Ils posent mille et une questions les concernant. Est-ce que les petits Québécois vont à l'école ou à la garderie en français? Non, ils vont à la garderie et à l'école en anglais. Une fois, j'ai même eu à répondre à une question concernant le système d'égout!

Il m'est arrivé parfois de douter des capacités de certains touristes que j'ai croisés. Une femme m'aborde et m'explique qu'elle recherche La *Strip* depuis deux heures. Mais Madame, lui ai-je répondu, vous y êtes, sur la *Strip*! J'ai aussi rencontré des Québécois se rendant à l'hôtel Paris, pensant qu'on y parle français, là-bas. Je leur explique alors que ce n'est qu'un thème, que nous sommes aux États-Unis et que les gens ici parlent l'anglais. Je me suis fait répondre :

« Au nombre de Québécois qui travaillent ou sont en vacances ici, ils pourraient se forcer un peu! »

Il y a en effet beaucoup de Québécois ici, mais dilués dans presque deux millions d'habitants, ça ne fait qu'un petit pourcentage de la population.

« ON T'AiiiiiME CÉLiiiiiNE »

J'ai aussi appris très tôt à ne plus mentionner aux Québécois de passage à Las Vegas que je partage ma vie avec un des musiciens de leur chanteuse. La première fois que j'ai commis cette bévue, cette révélation s'est répandue comme une traînée de poudre et j'ai été immédiatement entourée de gens qui me posaient des questions du genre :

« Est-ce que Céline mange des toasts le matin?

– Est-ce que vous prenez des cafés avec elle?

– Comment vont le petit prince et son père? »

Sans compter des demandes insolites :

« C'est la fête à Pierrette ce soir et nous allons voir le spectacle, peux-tu demander à Céline de lui chanter 'Bonne Fête'?

– Pouvez-vous-tu lui dire que nous sommes 50 de Baie-Comeau dans la salle et qu'elle nous dise un petit bonjour? »

Dans ce dernier cas, j'ai souvent envie de leur dire que Céline le sait qu'il y a des Québécois dans la salle car, soir après soir, les cris fusent de toute part :

« ON T'AiiiiiME CÉLiiiiiNE et aussi

– EN FRANÇAIS CÉLiiiiNE! »

Passer du temps avec des Québécois est souvent pour le meilleur mais il y a aussi le pire. Quand un concert est annulé, la nouvelle voyage plus vite à Montréal qu'ici, parfois! Devant la billetterie, c'est souvent le chaos, déception, tristesse et frustration. Ainsi, il m'est arrivé de venir en aide à des touristes québécois. Beaucoup ne parlent pas la langue et la parlent encore moins, quand ils sont dans un tel état de panique. Il est parfois possible de changer les billets pour une date ultérieure mais c'est souvent impossible. Je sais très bien que parmi ces gens, c'était maintenant ou jamais.

Certains ont longtemps économisé pour se payer le voyage, des gens malades qui ne reviendront pas. Une de ces personnes a vendu sa voiture pour être ici, et j'en passe. J'essaie d'expliquer, du mieux que je peux, que la chanteuse est humaine, que le spectacle repose sur ses épaules et que si elle était malade, il n'y aurait pas de spectacle. Contrairement au spectacle du Cirque, quand un acrobate est blessé, le spectacle a lieu quand même, ce qui est impossible dans le cas de Céline. Certains comprennent, d'autres pas. Des histoires tristes, il y en a beaucoup, beaucoup trop. Bien sûr, il y a les Québécois mais il y a tous ceux qui viennent d'encore plus loin, d'Europe, d'Asie, etc. Je trouve ces moments des plus tristes. Un jour, j'ai aidé deux Gaspésiennes. L'une d'elles était à sa deuxième visite à Las Vegas. Lors de sa première visite, le spectacle avait aussi été annulé. Cette annulation était la troisième, cette semaine-là. Il n'y avait donc aucune chance pour elles (et personne d'autres d'ailleurs) de voir le spectacle avant leur retour. Impulsivement, j'ai donné rendez-vous aux filles à 18 h 30, devant la boutique souvenir. Je serais là. J'avais téléphoné à Yves pour lui donner le même rendez-vous. J'arrive, à bout de souffle, retrouve les filles (qui ne savent pas ce qui se passe) présente mon musicien et leur dis que nous allons leur donner un tour guidé du théâtre. Elles fondent en larmes, m'appellent leur ange. Nous leur montrons la salle, les coulisses. Elles déambulent sur la scène, je prends des photos d'elles, assises dans les sièges qu'elles auraient dû occuper. C'est très émouvant, je rencontre par hasard celle qui s'occupe des costumes de Céline. Étonnée de me voir là, je lui raconte toute l'histoire. Elle me dit de la suivre. Les filles ont eu accès à tous les costumes (pas touche et pas de photos) les robes, les souliers, les bijoux. Tout! Nous avons perdu mon musicien à ce moment-là! J'ai demandé aux filles de ne parler à personne de leur groupe de cette visite, que c'était entre elles et moi.

Pourquoi avoir fait ça pour elles quand des milliers d'autres n'ont pu voir le spectacle? Elles m'ont touchée sans que je sache vraiment pourquoi. Ce fût pour elles une petite consolation. Au cours des années, des milliers de spectateurs ont vu le spectacle, parmi eux, des chanceux ont eu la chance de recevoir une rose personnellement des mains de la chanteuse, surtout les gens assis dans les premières rangées. J'ai assisté au spectacle *A New Day*, plus souvent qu'à mon tour.

Céline, depuis longtemps reconnue pour sa grande générosité, m'a particulièrement touchée un soir. Pendant la dernière chanson, un homme s'est avancé près de la scène pour lui remettre une paire de sabots hollandais. Le gardien de sécurité l'a gentiment refoulé à sa place, avec ses sabots. Céline chantait et je ne savais pas si elle avait eu connaissance de l'incident. Si oui, elle ne l'a pas laissé paraître. J'ai suivi cet homme des yeux, retournant bredouille à son siège qui se trouvait dans les dernières rangées du parterre. Arrive le moment de remettre la rose. Ce soir-là, elle a relevé sa robe longue, est descendue de scène et a remonté l'allée jusqu'au bout du parterre. Elle a retrouvé l'homme, lui a remis la rose, l'a embrassé, a pris les sabots et est retournée sur scène pour saluer une dernière fois. Un geste instinctif et tout simplement beau. Du vrai dans la ville du faux.

Viviane

À chaque jour qui passe, je m'attache de plus en plus à cette ville. Je prends racine et je le dois, en grande partie, à Viviane. Pour son anniversaire, je lui avais écrit dans sa carte de souhaits : « Sans toi, Las Vegas serait vraiment un désert. » Effectivement, sans elle, je ressentirais encore plus l'aridité de ce coin de pays.

Je tiens à parler d'elle car elle est devenue avec les années plus qu'une grande amie. Elle est ma normalité, mon quotidien et la meilleure coéquipière de cette aventure. Nous étions surprises lorsque nous nous rappelions des événements où chacune de nous s'y trouvait sans jamais réaliser la présence de l'autre avant notre venue à Las Vegas. Je me suis mise à fréquenter Viviane grâce à Véronique. Lorsque celle-ci est partie vivre à l'autre bout de la ville, je me suis naturellement tournée vers Viviane. Plus nous passions de temps ensemble plus nous nous découvrions. C'est surprenant tout ce que nous avons en commun et ce, tout en restant tout de même assez différentes l'une de l'autre. Par contre, plus le temps passe, plus nous nous ressemblons. Il n'est pas rare que les gens voient en nous un lien de parenté. Nous sommes donc très liées, mon affection pour ses enfants est énorme. Je les vois grandir, jour après jour, ils font partie de ma vie. Je me suis vite attachée à bébé Vincent et j'ai presque vu naître Sarah-Jeanne. J'irais jusqu'à dire que je venais probablement de partir lorsqu'elle a été conçue!

Question de logistique, avec deux enfants en bas âge, je suis toujours chez elle. J'y passe autant de temps que chez moi, littéralement. J'y mange très souvent car elle, elle n'a pas le choix de faire la cuisine. J'en profite, donc! Ce que j'apprécie beaucoup chez elle, malgré son statut de maman, est qu'elle a bien d'autres sujets de conversation que ses enfants, encore et toujours. Nous nous abreuvons à la même source, ce qui nous permet de rester vivantes dans ce désert. Nous avons nos soirées rituelles où nous nous installons et regardons, via la télévision satellite ou encore Internet, des émissions québécoises, telle l'émission *Tout le monde en parle* qui nous garde connectées sur la vie culturelle du Québec. Nous suivons aussi quelques séries, achetons films et livres québécois. Avec parfois du retard, nous parvenons tout de même à être à l'affût de ce qui se fait chez nous.

Nous regardons aussi, de temps à autres, les bulletins d'information. Nous compatissons avec la belle province lorsque la météo annonce qu'il fera - 50, avec le facteur éolien! Nous sourions, heureuses d'être loin! Vivre cette amitié au quotidien m'attache un peu plus chaque jour à Las Vegas. Que les enfants passent de la maison à la garderie, de la garderie à l'école, marque le passage du temps. C'est la confirmation de mon intégration, un sentiment de vérité.

Il y a aussi les fêtes où les veuves joyeuses se réunissent pour célébrer l'anniversaire de l'un d'entre nous. Une fête d'enfants ou encore un évènement comme la Saint-Jean Baptiste. D'ailleurs, à l'occasion d'une Saint-Jean Baptiste que nous avons célébrée ici, en plus de mettre de la musique d'artistes québécois, nous nous sommes vêtus de bleu ou de blanc. Je sais, ça fait un peu quétaine mais dans le moment, ça avait beaucoup de sens! Nous nous étions aussi fait venir de la poutine! Une amie m'avait envoyé une boîte remplie de drapeaux du Québec et de ballons, de flûtes et autres accessoires. Bien sûr, dissimulés parmi tout ça, des sachets de sauce à poutine ainsi que l'irremplaçable fromage!

Je traverse aussi parfois la ville pour rendre visite à Véronique. Je la retrouve chaque fois avec autant de plaisir. Je me dis que c'est tout de même dommage que nous ne nous voyions pas plus souvent. Chacune a sa vie, maintenant. Avec les années, j'ai aussi gardé mon jardin secret américain. Surtout mon amie C.J. qui m'a aussi introduite à ses amis de longue date qui habitent San Diego. Je me suis très vite attachée à cette famille des plus unies. J'y retourne maintenant, avec ou sans elle, dès que je le peux. J'adore me retrouver là-bas. Même si la maison se situe dans les montagnes, j'arrive facilement à humer l'air salin et l'humidité (mes sinus s'en trouvent des plus ravis!). Pour moi, c'est comme des séjours à la campagne mais avec la mer et les palmiers. Mon Mont-Tremblant, juste un peu plus exotique! Ces amitiés, aussi différentes soient-elles, sont des petits oasis dans ce grand désert. Elles animent mon quotidien, illuminent mes journées. Par elles, je me sens vivre.

Retours à Montréal

Or, plus je m'enracine à Las Vegas plus je me déracine de Montréal. Je suis à bord de l'avion. D'ici quelques minutes, je serai, pour la nième fois, en route vers Montréal. Je suis assise dans la dernière rangée, l'avion prend de la vitesse, le nez lève mais le derrière est toujours sur la piste, comme si un poids l'y retenait.

Ce poids, c'est moi. Cette sensation de lourdeur, je la ressens à chaque fois. Je regarde la ville, la *Strip* (du haut des airs, c'est bien le seul endroit où les casinos paraissent petits!). Ma banlieue et mes montagnes s'éloignent. J'ai quelques heures devant moi pour me mettre en mode Montréal. Enfin, comme la majorité des passagers sont québécois, la transition est assez rapide. Je disparais vite derrière mon livre et branche mon Ipod avant que mon voisin ou ma voisine se décide à me raconter ses vacances (j'haïs bien ça). En préparation pour l'atterrissage, je colle mon front au hublot et regarde en bas : Montréal s'offre à moi, parfois avec son manteau blanc ou tout en vert, selon la saison. Plus nous descendons plus je reconnais certains endroits. J'arrive parfois même à localiser mon ancien quartier. Du haut des airs, rien ne semble avoir changé.

Autour de moi, les gens se mettent à bouger, ils parlent, ou sacrent contre l'hiver et leurs voitures probablement gelées, ensevelies sous la neige. Tout ce babillage m'est familier. Je me retrouve dans leurs expressions et leurs propos. Mais ce qui nous différencie : ils sont chez eux, moi, non. Au début, les retours à Montréal étaient très difficiles. J'étais tiraillée entre tout le monde. Je devrais pourtant être heureuse d'être aussi en demande mais ce n'était pas le cas. Il y a les familles, les amis proches, les amis moins proches et les connaissances.

Aussi, le nouveau resto, le nouveau bar et le dernier film québécois ou français à l'affiche. C'est littéralement une course contre la montre! Malgré les meilleures intentions au monde, il est impossible de tout faire. Même avec des priorités et un horaire, à oublier : la spontanéité. Chaque jour était réglé, pareil à une horloge, difficile de déroger. J'avais continuellement mon horaire avec moi, la situation devenait infernale si je devais annuler, remettre un petit-déjeuner, un dîner, un souper ou juste un café.

Je cours donc d'un rendez-vous à l'autre. Si un petit-déjeuner s'étirait, ça pouvait compromettre le reste de la journée. Souvent, il arrivait que, même si j'avais du plaisir et que je me sente bien à un endroit, je doive quand même le quitter pour être à temps au rendez-vous suivant. Ça fait beaucoup de restaurants, de bouffe et d'alcool. C'est comme un perpétuel temps des Fêtes! De plus, il fallait essayer d'être le plus juste possible envers tout le monde. Ma mère, par exemple, est-ce suffisant de ne la voir que trois fois? Quand je sais très bien qu'elle voudrait me voir tous les jours.

Est-ce que mes bons amis vont comprendre si je ne les vois que deux fois? Je suis habitée par ce sentiment de culpabilité presque en permanence, et c'est loin d'être agréable. Pourquoi ne pas réunir tout le monde au même endroit? Parfois ça fonctionne, ou pas, ce n'est pas tout le monde qui se mélange et la soirée est donc d'autant plus stressante. Je fais tout mon possible pour contenter mon monde mais je ne peux pas me séparer en quatre. Au lieu de passer du temps de qualité avec les gens, je me morfonds avec des remords. Je vois la déception dans leurs yeux quand je pars, le ton accusateur au téléphone. Je n'ai qu'une envie, retourner chez moi au plus sacrant!

Maintenant, seulement mon entourage proche sait quand je suis à Montréal. Ainsi, je peux donc marcher librement dans la ville, refaire le tour de mon ancien quartier, aller au cinéma en après-midi, passer quelques jours à la campagne, apprécier, quoi. Avec les années, j'ai aussi appris à me déculpabiliser, je sais que je vais déplaire à quelqu'un, malgré tous mes efforts. Avec le temps, je crois que les gens ont compris. Après toutes ces années, un semblant de routine s'est installé. J'habite toujours au même endroit, c'est là que j'ai envie d'être. Certaines personnes ont disparu de mon emploi du temps. Je cours de moins en moins et consacre plus de temps à ceux avec qui j'ai vraiment envie d'être. Il y en a d'autres que j'ai perdus et que j'aimerais beaucoup retrouver. De cette façon, Montréal redevient un peu plus fréquentable.

Mais ironiquement, chaque séjour ne fait que m'éloigner de plus en plus de cette ville qui m'a vue grandir. Car malgré ma famille et mes amis, Montréal n'est plus tout à fait ma ville. Je ressens plutôt un sentiment d'étrangeté qui se définit un peu plus chaque fois. Je me retrouve dans des endroits tout à fait connus, des endroits qui m'ont manqués longtemps et que je suis heureuse de retrouver, pour quelques heures. C'est en fin de soirée, quand tout le monde rentre paisiblement chez eux que je ressens un malaise. Moi aussi auparavant, je rentrais chez moi. Mon chez-moi est dorénavant à cinq heures d'avion. Mes points de repère et mes habitudes ont changé ou parfois même disparu. Montréal représente maintenant le moi d'avant. Celle qui travaillait du lundi au vendredi de 9 heures à 5 heures. Celle qui se demandait toujours quoi porter le matin, qui s'en voulait de ne pas se maquiller aussi bien que les autres filles. Celle qui partait en coup de vent pour le boulot, pour un lunch ou un souper. J'ai quelques fois fait l'exercice de transposer virtuellement mon style de vie de

Las Vegas. Il m'apparaît impossible, ou difficile de vivre de la même façon à Montréal. La plupart de mes amis ou membres de ma famille travaillent et/ou ont des enfants. Ils sont donc pris avec des horaires qui ne sont pas toujours flexibles.

Mes amies à Las Vegas ne travaillent pas. Même si la plupart ont des enfants, il est beaucoup plus facile de se retrouver ensemble. Les horaires sont très flexibles et nous avons tout notre temps. Que ferais-je à Montréal avec tout ce temps? Redécouvrir ma ville? Je ne crois pas, je me connais assez pour ça. Quand je pense à un retour permanent à Montréal, je suis désorientée car je ne sais pas comment faire. Je n'ai pas envie de retourner travailler au même endroit. Je me sens déconnectée. Les années passent, mes collègues de travail ont de nouveaux postes. Ils ont grimpé les échelons. Professionnellement, moi, je n'ai pas bougé.

Oui, je vis autre chose, mais ailleurs. Je ne veux pas avoir la désagréable sensation de revenir en arrière. Moi, ce qui m'intéresse c'est plutôt aller de l'avant. Partir fut comme un coup de théâtre que je me suis fait à moi-même et dont j'adore l'effet! Car j'ai aussi envie de continuer l'aventure, l'inconnu, la découverte, même les difficultés m'attirent. Je n'aurais jamais pensé quitter ma vie. Maintenant que c'est fait, je n'ai aucune envie de revenir, du moins, je ne suis pas encore prête. Et ça, tout le monde ne le comprend pas. Que ce soit des Québécois exilés, comme moi, qui ont hâte de rentrer ou encore mes amis et ma famille.

Le plus difficile, c'est ma mère. Pour elle, que je parte pour deux ans, passe encore, mais ne pas revenir, c'est impensable. Le prolongement de mon exil est un sujet délicat qui devient vite, pour elle, source de larmes. C'est certain que je préférais entendre qu'importe où je me trouve, ou ce que je fais, l'important est que je sois heureuse. Je me le répète sans cesse et ça fonctionne très bien. J'ai toujours admiré les gens qui décident de tout laisser pour partir à l'étranger (bien que je ne considère pas que, habiter Las Vegas, soit comme vivre à l'étranger). J'ai toujours trouvé ces gens-là si courageux. Je les ai enviés si souvent. Est-ce que je peux me comparer à eux? Je ne sais pas. Je ne suis partie vivre que dans un pays voisin du mien où je retrouve tellement de similitudes. Mais est-ce que la distance est importante? Que la langue ou le dépaysement soit partiel ou total, ce que je sais, est que, quand je rencontre ces gens-là, je me retrouve à travers eux. Quand je leur dis ne pas vouloir revenir chez moi, pour l'instant, ils me comprennent.

Et puis, difficile de quitter ce climat tant désiré et si apprécié. À Las Vegas le ciel est presque toujours bleu, souvent sans un nuage à l'horizon et nous avons de la pluie que quelques fois dans l'année. Bien sûr, il y a les mois d'été ou le mercure semble ne pas vouloir s'arrêter de monter. C'est l'hiver à l'envers, l'été, nous restons dans nos maisons avec la climatisation (dans les voitures aussi). J'ai dû m'adapter au climat.

Au Québec, lorsqu'il fait beau le mot d'ordre est d'aller dehors. Mais que faire quand chaque jour est une belle journée? Au début, j'avais de la difficulté à vaquer à mes occupations dans la maison car je me sentais coupable de ne pas aller dehors. Tant de fois, je me rappelle avoir scruté le ciel, à la recherche de nuages pour me déculpabiliser de rester à l'intérieur. Je ne vous dis pas l'immense joie quand le temps est sombre et à la pluie. Les nuages gris et gonflés de pluie flirtent avec moi, j'attends un orage (ça pourrait être un ouragan, pas de problème, j'ai parfois tellement envie de mauvais temps!). Quand l'orage éclate enfin, c'est comme s'il y avait un peu du Québec dans chaque coup de tonnerre et dans chaque éclair qui déchire le ciel. Malheureusement, ça n'arrive pas souvent.

J'ai tout de même une consolation : le vent. Des vents violents qui soufflent à arracher les toits. Un vent chaud qui devrait, comme une brise, nous caresser la peau. Celui-là nous fouette, nous pousse et nous fait imaginer le pire à chaque fois. J'adore ça!

Autre point positif de ce climat; ce que je porte. Au Québec, nous espérons porter au moins cinq fois dans l'été la belle petite robe soleil que nous venons d'acheter. Les gars, eux, espèrent regarder, à perpétuité, toute cette peau enfin dénudée qui déambule partout dans les rues. Moi, je passe une grande partie de l'année en maillot de bain, en minijupe, en camisole, avec mes *gougounes* qui ne me quittent à peu près jamais. Pas de coiffure, pas de maquillage, cette sensation d'être en vacances tout le temps. Une sensation que je ne retrouve pas à Montréal, même en vacances. Par contre, l'automne me manque, la couleur des feuilles dans les arbres et sur les trottoirs, l'air qui se rafraîchit et annonce les longs mois d'hibernation à venir. Pour me consoler, à proximité de chez moi, il y a le mont Charleston. Une montagne qui ressemble beaucoup à celles de chez nous. Des conifères à perte de vue, le petit village avec ses maisons construites en bois rond. L'hiver est charmant, là-haut. Il s'y trouve une station de ski, une piste de ski de fond où on peut faire de la randonnée en raquettes. Ce n'est sûrement pas le Québec, mais en se fermant les yeux, en humant l'odeur des conifères, avec, en plus, les deux pieds dans la neige et le bout du nez froid, l'illusion est complète.

Quand les douanes mènent au mariage!

En plus de l'inconfort occasionné par les retours à Montréal, aujourd'hui, je me sens encore mal à l'aise à l'évocation de ce passage obligé aux douanes américaines, et ce, malgré un visa maintenant bien en règle. Chaque fois que je fais la réservation d'un vol, j'angoisse. C'est toujours la même sensation, j'ai beau essayer de rester calme, d'avoir l'air décontractée, en vérité, je suis terrorisée. Je tremble de la tête aux pieds. J'ai les mains moites, la bouche sèche, j'en perds mon anglais.

Comme je l'ai mentionné plus tôt, mes mésaventures avec l'immigration américaine ont perduré après mon premier passage. En quatre ans, je me suis fait refuser l'entrée trois fois! La troisième fois, ils ont carrément voulu me bannir. J'ai dû supplier, les larmes aux yeux, de me laisser une chance.

Voici donc, un résumé d'un passage qui m'a marquée pour toujours. Premièrement, le problème a toujours été dû au fait que nous n'étions pas mariés. Première offense, selon eux. Faisant de fréquents aller-retour, j'étais toujours soupçonnée. Donc, lors de ce passage fatal, je suis tombée sur une zélée. Il n'a fallu à peine que quelques minutes et je me suis retrouvée, une fois de plus, dans le bureau de l'immigration. La zélée m'a fait subir un interrogatoire en règle, elle et son collègue. Ils sont terrifiants avec leur regard accusateur et leurs questions. Ils me mettent de la pression, me bombardent de questions qui fusent, telles des balles de fusil, ça va dans un sens, puis dans l'autre. Ils veulent me faire avouer que je vis à plein temps dans leur beau et grand pays.

Je tiens mon bout, d'ailleurs je ne sais pas comment j'arrive à faire ça. Comme je n'ai qu'un statut de touriste, je dois m'en tenir à dire que je ne fais que la navette entre les deux pays. Mon conjoint travaille à Las Vegas et j'y reste pour la durée de mon visa de touriste. La zélée a fouillé ma valise, ça va. Je n'ai pas peur. La valise passée au peigne fin, elle me demande mon sac à main. C'est à ce moment que tout a basculé. Car se trouvent, entre autres, dans mon portefeuille : cartes de membre des épiceries, du club vidéo, de la piscine avec ma photo et l'adresse de la villa, carte de gym, carte de notre assurance santé et le pire, mon prochain rendez-vous chez le dentiste. Ouche! J'étais partie en coup de vent pour Montréal parce que ma grand-mère venait de décéder. Normalement, je prenais la peine de faire disparaître ces preuves incriminantes.

Donc, branle-bas de combat, elle pogne littéralement les nerfs. Malgré la tourmente, je me fais la remarque qu'elle prend vraiment ça hyper personnel. J'en suis très étonnée. Bref, elle est rouge comme un homard, le regard, un peu fou, elle me traite de menteuse. Si elle avait pu dire *bitch*, elle l'aurait dit, j'en suis convaincue. Et tombe la sentence : « Je vais te bannir, fini les États-Unis pour toi, va t'asseoir! » Je me retrouve assise dans la salle d'attente, complètement sous le choc, dans ma tête, ça va très vite. Ça ne peut pas être vrai, bannie!?! Je ne sens plus mon corps, le temps vient de s'arrêter, j'ai le cœur dans la gorge. Je ne peux pas rester assise là, sans rien faire. J'ai trop à perdre. Je me lève, traverse la salle d'attente et passe derrière le comptoir. Personne ne m'arrête et je retrouve le maudit bureau, il faut dire que je connais bien l'endroit!

Le cœur battant, je frappe à la porte. J'aurais préféré frapper la zélée mais j'étais déjà bien assez dans la merde comme ça. Je me promettais bien de le faire si les choses tournaient encore plus mal. Je serais au moins bannie pour quelque chose! Elle ouvre, contrôle mal sa surprise et me dit :

« *Yes*?

– Il faut absolument que nous parlions!

– *Have a seat.* »

Avec ce qui me reste d'énergie, je me lance dans une tirade. Je ne suis pas vraiment une menteuse, j'avais peur, je reprends tout du début. Après avoir, me semble-t-il, livré un bon plaidoyer, elle me dit de retourner à mon siège, dans la salle d'attente. Après dix minutes, on vient me chercher, les jambes tremblantes, je vais connaître mon sort, elle me lance :

« O.k., dernière chance pour toi. »

Je dois donc prouver mes liens avec le Canada, j'ai une liste longue de conditions à remplir. Évidemment, elle a tout coché ce qu'il y avait sur la liste. Deux semaines plus tard, après plusieurs visites chez l'avocat, je suis de retour dans le bureau, accompagnée de mon musicien. Pour une fois, l'agent qui s'occupe de moi est gentil, je suis à me faire cette remarque quand la zélée apparaît. Très discrètement, je la pointe du doigt et dis à mon musicien :

« C'est elle, la folle.

– Shuuuut! »

Après plusieurs minutes de pourparlers, l'agent me fait grâce d'un visa de touriste d'une période de six mois et me fait savoir que c'est bien la dernière fois. En me tendant mon passeport, il s'approche et nous murmure :

« Allez vous marier! »

Nous marchons vers la porte d'embarquement, je suis maintenant assez calme, jusqu'à ce que je voie venir vers moi la zélée et un autre agent. Arrivée à notre hauteur, au lieu de sortir les menottes, elle me sourit. Mon musicien a sa grande théorie sur le mariage. Je l'entends là-dessus depuis des années. Il est contre, bien sûr. C'est pire depuis que nous sommes aux États-Unis. Même si j'ai des problèmes avec l'immigration, il ne change pas de discours...

« Ce n'est certainement pas les Américains qui vont me forcer à me marier, je ne leur ferais pas ce plaisir-là, personne ne me dira quoi faire, bla-bla-bla...»

Après ce dernier incident, j'ai élevé le ton :

« Il est totalement hors de question que je revive, ne serait-ce qu'une seule fois des moments comme ça. »

Nous nous sommes mariés le 16 avril suivant.

Mon accent

Depuis que nous sommes mariés nous semblons tellement plus sympathiques. Les Américains adorent entendre : *my husband* ou encore : *my wife* (ce que mon musicien s'obstine à ne jamais dire). Moi, j'ai le *my husband* plus facile car ça rend les choses beaucoup plus simples, les portes s'ouvrent d'elles-mêmes. Mais je ne serais jamais complètement une des leurs, même maintenant, bien mariée. Au contraire, vivre parmi eux me fait réaliser ma différence. Je suis québécoise et le resterai toujours. Ça ne changera jamais.

L'accent, cet indicateur de mes origines, me ramène toujours à expliquer que « non, je ne suis pas d'ici, alors d'où je viens, pourquoi je suis ici », etc. J'ai beau me faire dire couramment que mon accent est très sexy, ça ne me console pas toujours. Je fais tellement d'efforts pour parler correctement que quand je viens de passer cinq minutes à préparer ma phrase (trois ou quatre mots) et que je la dis, à mon avis, superbement. Vlan!

« *Ho, you have an accent, where you from*?! »

Au début, ce « *you have an accent* » ne me dérangeait pas tellement et j'expliquais volontiers ma présence ici. Sauf qu'avec le temps et l'amélioration considérable de mon anglais, ce « *you have an accent* » m'assomme.

Impossible d'oublier mes racines car j'en parle constamment. Sans compter que parfois cet accent m'occasionne des réactions négatives avec lesquelles je dois composer. Ce n'est pas tout le monde qui trouve cet accent mignon ou encore qui apprécie mes origines. Oui, certaines personnes me sortent parfois la baguette, le béret, le fromage qui pue ou encore me demande si je me rase les aisselles! Sans compter les commentaires concernant la politique que plusieurs ne comprennent pas, qui portent sur la séparation du Québec, par exemple.

Au Québec, je parlais très rarement l'anglais mais tout de même assez pour me faire comprendre, du moins c'est ce que je croyais. Ce déménagement aux États-Unis me permettrait enfin de perfectionner cette langue, si longtemps baragouinée. Malheureusement, je me suis vite retrouvée dans un univers presque entièrement francophone. Mes courriels écrits en français, les appels à la famille et amis toujours en français. Mon musicien et moi nous nous parlons dans notre langue maternelle ainsi qu'avec mes nouveaux amis du Québec, exilés comme nous. Comme beaucoup de gens, je comprenais plus que je ne parlais. Gênée, je restais souvent silencieuse quand enfin l'opportunité de parler anglais se présentait. Même devant mon musicien, qui lui est parfaitement bilingue, je restais bloquée. Je comptais sur la télévision et la radio pour m'aider. J'ai aussi troqué mes livres en français pour des livres en anglais. J'apprenais assez vite mais j'étais toujours aussi timide et mal à l'aise lorsque je devais prendre la parole en public. Une transaction simple, à l'épicerie, par exemple, prenait tout mon courage.

J'appréhendais toujours le moment où j'aurais à demander une information. Combien de temps ai-je perdu à tourner en rond dans les magasins pour trouver un produit quand poser la question aurait été tellement plus simple! Pour m'aider à vaincre ma timidité, j'ai demandé à mon musicien de m'aider. Je prenais donc un livre et lisais à voix haute et il m'aidait avec la prononciation. Il devenait vite exaspéré mais nous avons tout de même persisté. Rapidement, j'ai atteint un certain niveau de confiance, assez, du moins, pour commencer à ouvrir la bouche en public. Je sais, j'aurais très bien pu suivre un cours d'anglais dès mon arrivée, comme certains d'entre nous. J'avais plutôt en tête de prendre des cours d'espagnol à la place (!!) Alors, pas de cours d'anglais (ni d'espagnol) tant pis, j'apprendrais sur le tas. Ce que j'ai fait, après maintes et maintes erreurs.

Il m'arrivait très souvent de déceler un malaise chez mon interlocuteur anglophone, comme « Mais qu'est-ce qu'elle raconte?! ». Un sourire poli et gentil apparaissait sur leurs lèvres et dans la minute qui suivait, je perdais complètement leur intérêt. Une minute de conversation sporadique n'est pas la meilleure façon de mettre en pratique mon nouveau savoir. J'aurais bien aimé qu'ils m'aident, qu'ils me reprennent, qu'ils me corrigent au lieu de me laisser en plan avec cet arrière-goût d'échec.

C.J. fut la première à me donner un coup de main. Avec elle, parler français n'était pas une option. Ainsi, chaque visite devenait une immersion anglaise. Patiente, dévouée, c'est elle qui m'a le plus aidée. Elle me reprenait gentiment et lançait des regards meurtriers à son fils quand celui-ci, me voyant arriver, disait en riant, que de discuter avec moi était pareil que de jouer à la charade! Je ne vous dis pas la tête de la vétérinaire, de mon médecin ou encore de mon dentiste lors de mes premières visites. Ces termes compliqués (même en français) m'angoissaient. J'avais toujours peur de ne pas comprendre quelque chose d'important ou de ne pas exprimer clairement la raison de ma visite. J'avais beaucoup de difficultés à prononcer le fameux « *th* ». J'avais beau essayer de me tourner la langue de toutes les façons imaginables, je n'y parvenais tout simplement pas. Le chiffre « trois », quoique je fasse, finissait toujours par sonner « arbre », à mon plus grand désarroi. Pour régler le problème, j'ai tout simplement fait disparaître de mon vocabulaire tous les mots comprenant ce fameux « *th* ». Ce qui compliquait grandement les choses, à vrai dire.

C'est finalement un bon ami de Chicago qui m'a délivrée de ce mal. Il s'est assis devant moi et m'a dit que je pourrais me relever que lorsque je maîtriserais le fameux « *th* ». Dans quelle galère le pauvre mec se mettait les pieds, mais quelle grandeur d'âme!! À ma grande surprise, il ne m'aura fallu pas plus de 30 minutes pour apprivoiser ce si terrifiant « *th* ». À partir de ce moment (magique), tous les mots en « *th* » que je pouvais mettre dans la même phrase y étaient!! J'étais si fière de moi que je ne m'en rendais pas vraiment compte, un pas en avant, deux pas en arrière!!

Mon problème aussi était (et parfois encore) que je parlais anglais en français. Je m'explique; je pensais en français et traduisais spontanément en anglais. Mes phrases étaient donc construites suivant (à peu près) les règles de grammaire française et je ne tenais pas compte (du tout!) de la grammaire anglaise. Je traduisais aussi des expressions bien québécoises en anglais, ce qui souvent n'allait pas du tout! De plus, durant mes conversations, je devenais vite très fatiguée car j'étais toujours en train de penser, traduire et d'essayer de rendre tout ça compréhensible. Pas la peine de dire qu'après quelques verres de vin, mon anglais aurait très bien pu être du chinois! Je devais donc penser en anglais, facile à dire mais difficile à faire, du moins pour moi. Mais j'y arrive, de peine et de misère car mes réflexes sont en français et ma langue maternelle prend souvent le dessus dans ma tête.

Le plus frustrant dans l'apprentissage d'une nouvelle langue est de ne pas réussir à pouvoir vraiment exprimer le fond de sa pensée, donner son opinion. Le message ne passe plus quand le manque de vocabulaire et les tournures de phrases compliquées se mettent de la partie. Surtout quand je m'enflamme pour un sujet ou un autre (la politique, par exemple). J'ai souvent l'impression de rester sur ma faim. J'irais jusqu'à dire que parfois, je ne me sens pas à la hauteur, sachant très bien que j'aurais fait plus facilement valoir mon point de vue dans ma propre langue. Mais il y a tout de même des moments cocasses dans tout cela.

Certaines erreurs peuvent s'avérer très drôles, un mot mal choisi, ou placé au mauvais endroit dans la phrase, peut devenir hilarant parfois. Trois anecdotes me reviennent et elles appartiennent à ma grande amie Viviane. Elle entre dans un salon de coiffure pour faire couper les cheveux de son fils. Elle formule d'abord sa question dans sa tête : *do you do little boy*? Instinctivement, elle a pensé que ça n'avait probablement pas d'allure. Elle a eu la justesse d'esprit de ne pas le dire haut et fort! Et la fois, en pleine période des fêtes, où dans un magasin bondé, envahi par des décorations, avec la musique de Noël pour l'ambiance, elle cherchait des bas de Noël pour les suspendre à la cheminée. Elle a dit à la vendeuse; *Christmas socks*? (entendre *sucks*!) Ou encore, devant la caissière à l'épicerie, Viviane et moi, nous nous chamaillions en français, à propos de qui doit payer. J'insiste, elle insiste, et la caissière :

« Vous parlez quelle langue?

Moi : – Français.

La caissière de répondre : – J'adore le français, c'est magnifique de vous écouter, c'est doux à l'oreille, c'est chantant.

Et Viviane de réagir : – Ah oui vraiment, c'est qu'elle est, elle, en train de m'engueuler! ».

Si, pour moi, apprendre l'anglais est plus complexe, ce n'est définitivement pas le cas pour les enfants. C'est assez ahurissant de voir ces petits bouts de chou francophones apprendre l'anglais sans même réfléchir. D'ailleurs j'apprends de plus en plus de mots ou d'expressions grâce à eux! Et puis l'accent, quel accent?! Ces petites éponges passent du français à l'anglais (ou vice versa) sans même y penser. Tandis que moi, je m'échine à bien le parler.

Les années passent et nous discutons maintenant (presque) naturellement dans les deux langues. Il n'est pas rare que j'emploie l'anglais à la maison avec mon musicien. Mon français est de plus en plus parsemé d'anglicismes et il m'arrive parfois d'oublier certains mots en français. Malgré tout, le français restera toujours notre première langue. L'anglais demeurera, plus ou moins, un effort pour moi. Mon accent est donc là pour rester. Il révèle ma différence et confirme mon individualité. Je coupe maintenant court et dis, souriante de fierté : « *Yes, I have an accent!* »

LV, les armes et la violence

Si je me suis à peu près habituée à presque tout de cette ville, j'entretiens quand même une relation d'amour et de haine avec elle. Mon douillet confort est souvent ébranlé par des moments **d'insécurité.**

Lorsque je suis arrivée dans ma nouvelle banlieue tranquille, propre et sans histoire, j'étais loin de me douter que je m'y ferais agresser, en fin de journée, de plus, avec un bébé! En effet, je ne me suis jamais vraiment sentie en sécurité. À l'instar d'autres villes, Las Vegas n'est pas une ville beaucoup plus violente. Mais ce fut un choc pour moi de vivre dans un endroit où l'arme à feu est (presque) à la portée de tous. Si vous arrivez à Las Vegas par un vol direct d'Air Canada (ou encore via Toronto) une des premières choses que vous verrez, près du carrousel à bagages numéro 1, c'est la photo d'une blonde plantureuse, au sourire éclatant, et assez sexy dans son jeans taille basse et camisole moulante. Ça pourrait facilement être une publicité pour n'importe quel bar ou encore n'importe quelle boutique de vêtements de la ville. Sauf que, dans ce cas-ci, la déesse blonde a entre ses mains (j'allais dire « entre ses seins ») une mitraillette. Elle fait donc la promotion d'un de ces nombreux endroits où soulager ses frustrations, en tirant à bout portant sur la photo de votre ex ou encore sur celle de Ben Laden!

Moi, les armes à feu n'ont jamais fait partie de mes mœurs, au contraire, elles me répugnent. Savoir que mes voisins en ont une ou plusieurs dans leur maison me dérange. De savoir que mes voisins ont une arme dans leur voiture me terrifie. Et qu'à seulement 18 ans, on peut acheter l'arme d'un particulier (à 21 ans, on peut faire un achat en magasin) me dépasse. De plus, l'arme à feu en question peut être en tout temps armée et n'a pas besoin d'être dans un étui. L'arme peut donc être n' importe où dans la voiture, sauf dissimulée dans un sac à main ou sous les vêtements, par exemple. Pour avoir légalement le droit d'avoir une arme cachée, vous devez faire la demande d'un permis. Évidemment, l'arme que vous possédez doit être enregistrée, mais le sont-elles toutes? Instantanément, tous les automobilistes sur la route sont devenus suspects à mes yeux et j'ai peur d'eux. J'ai donc changé mon comportement derrière le volant. Je ne klaxonne jamais si la voiture devant moi prend du temps à repartir quand le feu de circulation passe au vert. J'attends! Je m'assure de ne couper personne et surtout je ne regarde jamais dans les autres voitures. Que je change mon comportement derrière le volant est une chose mais me faire agresser en faisant une marche?

Une agression

Alors que j'avais la garde pour la première fois de bébé Vincent, âgé d'un peu plus d'un an, j'ai décidé de faire le tour des lacs, pour lui montrer les canards. Lui, en poussette et moi derrière la poussette. Il devait être 18 h, le soleil brillait encore et le temps était magnifique. Premier lac, tout va bien, les canards sont au rendez-vous, bébé gazouille et moi, j'en suis très heureuse. Quelle bonne gardienne je fais!

Je décide donc, en toute confiance, de pousser l'expédition plus loin. Je me dirige tranquillement vers le petit pont quand je remarque un véhicule 4 x 4 qui ralentit à ma hauteur. Je jette un coup d'œil furtif, tellement furtif que je ne pourrais même pas décrire la personne qui conduisait. Le conducteur se met à m'insulter, il est très en colère et hors de contrôle. Il me traite de tous les noms. Je ne suis pas très loin de chez moi mais je n'ai que les clefs de la maison de Viviane, et puis, je me dis que je dois lui montrer que je n'ai pas peur. Alors je décide de continuer mon chemin. En fait, je n'ai pas peur, du moins pas encore. Je me dis que cet homme disjoncte et qu'il va continuer son chemin. Ce qu'il fait. Je commence donc l'ascension du petit pont en me disant que cet homme doit m'avoir pris pour quelqu'un d'autre, j'en ris presque.

Vincent gazouille toujours et pour quelques secondes, j'arrive à mettre l'incident derrière moi. Je commence à descendre le pont et, surprise, le disjoncté est là et m'attend! Je mets un point d'honneur à ne pas le regarder mais je le surveille du coin de l'œil. Il me suit pendant quelques mètres. Il est toujours dans son 4 x 4. Ensuite, il fait demi-tour et, sans un mot, repart dans l'autre direction. Je me dis qu'il est enfin parti mais, tout de même, la peur m'envahit et je sens monter la panique. Que me veut-il, celui-là? Je suis avec un bébé!

Il n'y a personne autour, je suis seule. Je pense retourner à la maison. Je m'arrête et attends une bonne dizaine de minutes. Je ne le vois plus et un couple marche maintenant pas très loin de moi. J'accélère tout de même le pas et me dis que je vais probablement finir cette belle promenade au pas de course. Je dépasse l'entrée du petit centre d'achats où se trouve le bistro français. Il y a beaucoup de voitures dans le stationnement, ce qui me rassure. Je suis à quelques pas du coin de la rue mais impossible de voir plus loin car ma vue est obstruée par les arbres. Je viens pour tourner le coin et, qui est là à m'attendre? Lui!

En une fraction de seconde, je comprends maintenant que je suis en danger, que tout ça n'est pas normal. Mon cœur bat à tout rompre. J'ai peur. Je viens de manquer l'entrée du centre d'achats mais je sais qu'à quelques mètres, il y en a une autre. Ce qui veut dire que je dois passer à côté de lui. Je me mets à courir vers cette deuxième entrée, et lui, de partir en faisant crisser ses pneus, dans la direction opposée. Je tourne dans l'entrée, devant moi se trouve le bistrot, et je dois encore traverser tout le stationnement. Les yeux fixés sur les portes du bistrot, je cours, ne sachant pas où le disjoncté est passé. Je suis certaine qu'il va finir par me tirer dessus, car c'est certain, il a une arme. C'est la seule chose que j'ai en tête, il va finir par me tirer dans le dos.

À cet instant, il sort de nulle part et me barre le chemin avec son camion. Devant moi, son camion et une voiture stationnée, il doit y avoir un espace d'un pied entre les deux. Cet espace est la seule issue et je dois réussir à y faire passer la poussette. Je ne sais pas comment j'ai fait, mais j'y suis parvenue. J'ai couru en ligne droite, vers les portes du bistro. Lui, il recule et reprend sa poursuite derrière moi, mais moi, en ce moment, je vole. Je n'ai jamais vu le trottoir mais je suis tout de même montée dessus et me suis engouffrée dans le bistro. Avant que les portes ne se referment derrière moi, je me suis retournée dans sa direction alors qu'il prenait la fuite. Lorsque les portes se sont refermées, je me suis retrouvée dans un environnement calme. Ça tranchait avec mon état.

Madame bistrot, devant son comptoir s'exclame :

« Ho le joli petit Vincent (lui, il gazouille encore!) et elle me regarde :

– Mon Dieu Barbara, tu es blanche comme un drap! ».

Au même moment, quelqu'un m'interpelle du fond du bistro, c'est une collègue de mon musicien. Je la regarde, me sentant enfin en sécurité, j'éclate en sanglots. Elle me prend dans ses bras et je lui raconte de façon plutôt saccadée ce qui vient de m'arriver.

Tout le monde m'entoure, je demande une chaise, car mes jambes ne me supportent plus. Le serveur, que je connais bien, m'offre un verre de vin pour me calmer. Il arrive avec le verre de vin et je lui dis que je n'ai pas d'argent avec moi. Il tourne les talons et repart avec mon verre de vin! L'énervement, j'imagine. Je prends le temps de reprendre mes esprits. Quelqu'un appelle la police et me passe le combiné, je raconte ma mésaventure à la dame :

« Avez-vous son numéro de plaque d'immatriculation?

– Non.

– Une description du camion et du conducteur?

– Pas du conducteur mais du camion, oui.

– C'est arrivé, il y a longtemps?

– Une demi-heure environ.

– Ça ne vaut pas la peine d'envoyer la police, il doit être déjà loin. » Fin de mon entretien avec la police!

La collègue de mon musicien me propose de me ramener en voiture, j'accepte. En sortant, je regarde partout autour de moi, personne. De retour à la maison, j'ai mis le petit au lit (sans bain) et j'ai fait les cents pas regardant par toutes les fenêtres. La maman est enfin arrivée et en entrant, elle me lance tout sourire, « Et puis, ça été avec Vincent? ».

Il est certain que cet épisode a contribué à mon sentiment d'insécurité. Bien que j'aime toujours autant me balader et voir les canards près des lacs, je ne le fais jamais seule. Je ne me suis jamais risquée à marcher le soir non plus. Mon musicien aime bien ces marches nocturnes, si je l'accompagne tout de même, je suis mal à l'aise. Dans la plupart des cas, je le laisse faire sa marche, seul. Je me suis bien risquée, quelques fois, de jour toujours, à une balade en vélo ou en patin à roues alignées. J'ai vite abandonné car je n'y prends aucun plaisir. Je me sens plus en sécurité à me balader sur la *Strip*, et ce, quelle que soit l'heure, que dans ma banlieue.

Mon sentiment d'insécurité me vient aussi du bulletin d'information quotidien. Ils ont le don, à l'info, de mettre l'emphase sur les vols, les meurtres et autres sympathiques incidents, qui, pour la plupart, impliquent toujours une arme à feu. J'ai aussi dû m'habituer aux hélicoptères de la police qui survolent constamment le ciel de la ville avec leurs faisceaux lumineux qui scrutent les rues et souvent, les cours. Lorsqu'ils sont sur une piste ou carrément en poursuite, ils volent très bas et font un boucan terrible. Ils sont si près de la maison, qu'elle en tremble parfois.

Peu de temps après notre installation, ma voisine nous a mis en garde à propos de ces fameuses poursuites. Elle nous a dit que, dès que nous entendions ou voyions un hélicoptère près de la maison, si nous étions dehors, de rentrer immédiatement et de verrouiller les portes. La personne qu'ils cherchent peut venir se cacher près de la maison.

Un soir, alors qu'un hélicoptère tournait au-dessus de chez moi, je suis sortie pour aller chercher mon chat Gargamel. Je n'avais pas fait trois pas que j'étais dans la mire du faisceau lumineux! Il arrive aussi parfois qu'en passant près de chez moi, le faisceau lumineux éclaire tout le salon. Vous ne serez donc pas surpris si je vous dis que les portes sont toujours verrouillées et que nous dormons avec le système d'alarme armé. Pour pousser la psychose encore plus loin, mon musicien verrouille aussi la porte de notre chambre à coucher!!

Lorsque je dors seule, j'ai le téléphone de la maison, ainsi que le téléphone cellulaire, à portée de main. Il est arrivé une fois de me faire réveiller par des coups de feu. À quelques maisons de chez moi, une fête s'est vraisemblablement mal terminée. Donc, coups de feu, cris, portières de voiture qui claquent et crissement de pneus. À peine trois ou quatre minutes plus tard, j'entendais déjà les sirènes de police ainsi que l'inévitable hélicoptère. Je ne suis évidemment pas sortie voir ce qui se passait. Ma voisine, qui vit seule, m'a téléphoné pour me demander d'aller dormir chez elle si j'avais peur. Malgré son insistance, j'ai réussi à lui dire que j'allais bien et que je n'avais pas peur. Ce n'est qu'au petit matin que j'ai réalisé que c'était elle qui avait peur et que ma présence l'aurait sécurisée.

Chaque fois que j'ai l'occasion d'affirmer, haut et fort, mon dégoût et ma peur des armes à feu, la réaction d'étonnement est instantanée. Chez une amie, par un bel après-midi, je rencontrai sa copine (originaire du Texas) qui se vantait d'avoir congédié sa femme de ménage qui refusait de faire la chambre des maîtres, sachant que des armes s'y trouvaient. Elle est découragée par ma réaction lorsque je lui dis que j'aurais probablement agi comme sa femme de ménage. Hostile, elle décide tout de même de me convaincre du bien-fondé d'avoir une arme à feu. Elle s'apprête à sortir son arme de son sac à main, afin que je me familiarise avec l'objet. Je l'arrête dans son geste et lui fais comprendre, froidement, que je n'ai aucun intérêt ni pour son arme ni pour ses arguments. Je sais bien que dans les deux ou trois foyers américains que je fréquente assidûment, il y a au moins une arme à feu. Chez C.J. je sais même où elle se trouve. Cette arme fait partie intégrante de leur vie. Elle est le symbole de leur sécurité. En cas de besoin, ils n'hésiteront jamais à tirer.

Est-ce possible de vivre paisiblement dans une telle ambiance? Heureusement oui, et malheureusement non. Oui, car je n'y pense pas à chaque instant de la journée. Lorsque je suis chez moi, je m'y sens bien. J'arrive même à oublier que les portes sont, la plupart du temps, verrouillées. Tout de même, lorsque la température le permet, j'ouvre toutes grandes les portes de derrière et ce, toute la journée, sans craindre quoi que ce soit. Lorsque je me mets au lit le soir, c'est paisiblement que je m'endors. Je me sens en sécurité, du moins, dans ma maison.

Il y a maintenant de plus en plus de gens qui se promènent autour des lacs, de façon nonchalante et détendue. Il est rassurant de les voir si calmes et souriants. Et non, car malgré tous les arguments positifs que je pourrais trouver, je ne crois toutefois pas que l'on puisse s'accoutumer à la violence. Même si j'arrive à oublier, mon insécurité reste la même, parfois légère, parfois intense. Cette violence me ramène aussi à cette guerre qui perdure depuis des années. Malheureusement, je dois avouer que j'ai appris à vivre avec. Les reportages se multiplient, quantité de soldats reviennent dans des boîtes plutôt que sur leurs deux jambes. Les images défilent et me laissent presque indifférente.

Au Québec, je n'ai jamais connu de militaire. Personne de mon entourage, ni de près ou de loin, n'a démontré aucun intérêt à s'enrôler. La seule fois ou j'ai vu des militaires dans les rues remonte à la fameuse crise du verglas. À Las Vegas, ils font partie de mon quotidien. J'en rencontre au moins un à toutes les semaines. Ma curiosité envers eux est sans cesse grandissante. Je m'intéresse davantage à ces gens qu'à la guerre en soi. Qu'est-ce qui les pousse à défendre leur pays au péril de leur vie?

Un ami soldat

Lors d'une visite chez mes amis à San Diego, j'ai appris que le cousin s'était enrôlé. Il était déjà parti vivre sur une base militaire dans un autre État, loin de la Californie. Je demande au clan pourquoi il a pris cette décision. La réponse a été spontanée. Parce que c'est un idiot! Je suis surprise par cette réponse, les Américains sont normalement beaucoup plus patriotiques que ça. J'ai dû attendre deux ans avant de pouvoir enfin mettre le grappin sur le cousin et assouvir ainsi ma curiosité. Il revenait justement d'un tour de six mois en Irak.

Dès que je l'ai aperçu, j'ai remarqué que, de toute évidence l'armée lui était passée sur le corps! Je ne sais pas mais celui-là est passé d'un peu rond à un GQ! À la base de son cou, j'aperçois une chaîne, je sais qu'au bout de cette chaîne est accrochée une médaille l'identifiant. Je sais aussi très bien que cette chaîne lui descend entre ses nouveaux pectoraux et doit pendouiller sur ses nouveaux abdominaux! J'ai toujours trouvé ces médailles très sexy.

Je remarque aussi que malgré ses cheveux maintenant très courts, il a grisonné sur les tempes et quelques rides se sont creusées autour de ses yeux. Il y a deux ans, ces signes étaient absents. Ce soir-là, j'ai enfin eu la chance de m'asseoir avec lui et de lui poser mes questions. Enfin, quelques-unes, car il n'est pas très bavard le cousin soldat. Il avait un bon boulot, père de deux jeunes enfants et fraîchement divorcé. Il a 30 ans. Pourquoi avoir fait ce choix? Après un divorce difficile, il s'est mis à faire la fête de plus en plus et à travailler de moins en moins. Après une année de galère, sentant sa vie déraper, il voulait se reprendre en main. Il voulait que ses enfants puissent être fiers de lui. Avait-il d'autres options pour changer sa vie? Selon moi, oui, mais selon lui, non. Est-ce une fuite? Peut-être, il dit.

Quoi qu'il en soit, dans son discours plutôt décousu, aucune trace de cette fameuse fibre patriotique. Il semble s'être enrôlé pour lui et non pour son pays. Il est dans le secteur des communications, un secteur de l'armée un peu trop secret à mon goût. Je ne sais pas trop à quoi je m'attendais vraiment mais j'aurais aimé entendre parler de ce que l'on voit aux infos. Même si nous avons une bonne idée de ce qui s'y passe, malgré moi, j'aurais voulu entendre du sensationnel. Comprendre ce que ça représente d'être vraiment là-bas, au quotidien. Je discerne, par ses cheveux grisonnants et ses rides, de longs mois difficiles passés en Irak. Ses yeux expriment plus de tristesse que de fierté.

S'il pouvait ne pas y retourner, il choisirait, sans aucune hésitation cette option, me dit-il. Il me montre des photos, où on y voit du sable, quelques convois et encore plus de sable. Ce n'est décidément pas Bagdad, c'est où? Secret, qu'il dit. J'abandonne. Quelques jours plus tard, j'entre en tourbillon dans la salle de bain, à la recherche d'un élastique pour mes cheveux. Je regarde partout et nulle part à la fois. Au milieu de ce mini-bordel, ses médailles. Je les fixe, n'arrive pas à en détacher le regard. J'avance tranquillement ma main et les frôle du bout des doigts, je me décide à les prendre, c'est mince, léger et froid.

Soudainement, ce n'est plus sexy du tout. C'est plutôt la souffrance et la mort qui se trouvent dans la paume de ma main. Je suis parcourue d'un frisson. J'arrive à ressentir le danger, la peur et le sang, j'entends un cœur battre à cent à l'heure.

Avant de repartir, moi pour Las Vegas et lui pour l'Irak, je lui demande si nous pouvons correspondre. Il y sera pour dix longs mois, il accepte. S'amorce donc une longue série d'échanges de courriels. Presque tous les matins, je prends mon café un pied là-bas et un pied ici. Il m'a téléphoné à quelques occasions. La première fois, j'ai été très surprise, la ligne était mauvaise, j'entendais un écho. Il me téléphonait de là-bas, de l'Irak, je n'en revenais pas. Il m'a avertie que notre conversation était sous surveillance, une formalité, qu'il dit. J'imagine tout ce que doivent entendre les gens qui font ce boulot! Même s'il me décrivait son environnement, je demandais à voir des photos. J'en ai donc reçues quelques-unes, entre autres, une de son bureau; plancher et mur en contreplaqué comme le bureau, une chaise qui semble avoir fait la guerre, elle aussi. Franchement, ça pourrait être n'importe quel sous-sol pas fini. Mais il y a le sable incrusté partout, sur le sol, dans les replis de sa chaise et jusque sur le bureau. Sur ce même bureau, des papiers, deux ordinateurs portables, des radios et des casques, un vrai bordel, tout est pêle-mêle. Tout ça est très impersonnel mais j'aperçois ses lunettes de soleil. C'est cette paire de verres fumés qui me fait réaliser qu'il est vraiment là-bas. Car malgré l'épisode des médailles qui m'avait secouée, j'étais vite retombée dans cette nonchalance vis-à-vis de la guerre, même notre correspondance me semblait parfois irréelle.

Sur une autre photo, une pièce sombre remplie de munitions, plusieurs sortes d'armes à feu (assez impressionnant) des grenades et autres, tout cet arsenal est très bien aligné sur des étagères de fortune et sur le sable. Des enfants qui regardent passer un convoi, ça me semble être au milieu de nulle part. Ils font quoi là-bas, les petits? Il arrive que je reçoive un courriel me disant qu'il part en mission, qu'il écrira à son retour. Il ne mentionne jamais où, comment, pourquoi et combien de temps, il sera absent.

Les premiers jours je n'y pensais pas vraiment. Après une bonne semaine, je commençai à me poser des questions, vers la deuxième semaine, je m'inquiétai. J'imaginais alors les femmes et les familles. Ça doit être tellement angoissant. Les reportages aux infos, les unes des journaux, le mot « armée » ou « Irak », tout me ramène à lui. Quel soulagement quand apparaît enfin un message de lui. Dans ses courriels, il me parle de ses enfants qui lui manquent, de sa vie d'avant et de maintenant. Il est incertain quant à son futur. Quand ses courriels sont tristes ou nostalgiques, j'essaie de l'encourager, lui remonter le moral. Je le fais rire ou sourire du mieux que je peux. Malgré la camaraderie de là-bas, je suis devenue son amie, sa confidente, un lien entre là-bas et ici. Un lien entre sa guerre et ma paix.

Comme un tourbillon

Six années on passé comme un tourbillon. Durant ce temps, Las Vegas fut souvent pour moi le meilleur et aussi le pire. Six années qui m'ont certainement changée, six années qui auront marqué ma vie. Ces années auront renforcé certains rêves, ou encore, en auront faire naître de nouveaux. Des années qui ont confirmé qui j'étais mais qui m'ont aussi fait découvrir de nouveaux aspects de moi-même, ce que je souhaite et comment je désire vivre ma vie.

Je n'ai jamais eu de plan de carrière et n'en n'ai jamais voulu non plus. J'ai toujours placé mon désir de liberté avant toute chose. Je vais vers ce qui me plaît et mes choix sont inspirés par cette immense soif de liberté. Un après-midi, assise dans un *lounge* du Bellagio, à siroter un verre, un ami m'a dit qu'il trouvait courageux et admirable ma façon de vivre. Il m'enviait de ne pas avoir peur de l'avenir et d'aller de l'avant. J'ai été frappée par ses propos car ça ne m'était jamais venu à l'esprit. Mais maintenant, en repensant à cette conversation, je me demande où ma témérité a bien pu aller? Mon assurance me quitte peu à peu et la crainte s'installe doucement. Peut-être que je vieillis tout simplement. Non, c'est que je ressens le commencement de la fin de cette aventure.

16 décembre 2007

J'arrive à peine à ouvrir les yeux, malgré la pénombre, je devine une chambre d'hôtel. Il est tôt, en fait, beaucoup trop tôt. Toujours engourdie par les vapeurs de l'alcool, je me rappelle que je suis dans une chambre au Ceaser's Palace. Tout près de moi, mon musicien endormi. Alors ça va, ouf! De l'eau, j'ai besoin de boire de l'eau. Péniblement, je me lève. En plus d'avoir besoin d'eau, j'ai aussi, et surtout, besoin d'air. Je suis dans cet état car nous avons fait la fête toute la nuit et je n'ai dormi que deux courtes heures. C'est que la veille, le spectacle *A New Day* donnait sa dernière représentation.

Cette semaine a été éprouvante car la « dernière » arrivait à grand pas et le tout Montréal est débarqué à Las Vegas. Avec tout ces gens à voir, les nuits étaient courtes et les journées semblaient interminables. J'étais convaincue que j'allais m'effondrer et ne survivrais pas jusqu'au 15 décembre. À peine sortie de l'ascenseur, le bruit des machines à sous, telle une torture, me martèlent le crâne. J'achète une bouteille d'eau qui semble peser dix livres, mes jambes ont peine à avancer, j'ai le cœur dans la gorge. Me dirigeant vers la sortie, tout près de l'entrée du théâtre, je m'arrête net.

Il y a quelque chose de bizarre, je me sens mal, et ce n'est pas l'alcool. Au contraire, je retrouve, presque instantanément, une certaine clarté d'esprit. Où est donc passée la grande photo de Céline qui trônait aux portes du théâtre? La billetterie n'affiche plus le spectacle, disparues aussi les publicités au-dessus de certains îlots des machines à sous. J'ai envie de courir dehors, voir si la photo sur la grande marquise est toujours là et si Céline est toujours exposée sur les toits des taxis. Voyons donc, le spectacle a pris fin, il y a quelques heures à peine! Les pétales de rose qui sont tombés sur la scène ne doivent même pas être encore fanés. Est-ce vraiment possible que tout ait disparu aussi vite?

Assommée, je m'assois dans les marches, à l'entrée du théâtre, je n'entends plus aucun bruit. Deux hommes arrivent avec un escabeau et un grand rouleau de papier. Ils passent à côté de moi, sans vraiment me voir, je me retourne et les suis du regard. Du haut de son escabeau, l'un deux déroule une grande affiche et soudainement, apparaît Bette Midler, dans toute sa splendeur, entortillée dans un boa de plumes rose fluo!

C'est fini.

Je reste assise là, un long moment à fixer le vide, la gorge nouée, un vide au creux du ventre. C'est que je n'avais pas vraiment envie que ça s'arrête tout ça. Je repense à la soirée d'hier. J'ai assisté au spectacle avec les veuves joyeuses réunies, probablement pour la dernière fois à Las Vegas. À ma grande surprise, je n'avais pas les émotions à fleur de peau, comme je l'aurais imaginé. Pourtant, j'avais été fébrile toute la journée. Je ressentais bien de la mélancolie, mais sans plus. Nos regards se sont croisés à plusieurs reprises, quelques regards pleins de larmes où nous pouvions, chacune, y retrouver un peu de notre histoire. J'avais beau me dire que c'était la dernière fois, c'est comme si mon cerveau refusait d'y croire vraiment.

Après le spectacle, nous avons quitté le théâtre par la grande porte (normalement, nous sortions par la porte de coté). Des fans, en masse, attendaient à la sortie, un brouhaha inhabituel rendait la rupture encore plus invraisemblable. La fête qui s'ensuivit fut une longue nuit de plaisir, l'insécurité avait disparu. Elle avait été pourtant palpable chez plusieurs depuis plusieurs mois. Cette nuit-là, tout le monde avait le sourire aux lèvres et l'avenir semblait être le dernier de leurs soucis.

Peut-être que cette soirée aurait pris une tournure beaucoup plus nostalgique si elle n'avait été donnée que pour les gens de l'équipe. Nous étions dans une foule disparate. En cette matinée du 16 décembre, assise dans les escaliers de ce casino, j'ai le vague à l'âme. Partout où mon regard se pose, des souvenirs surgissent.

La boutique souvenir de Céline et le bar Slice, point de rencontre d'innombrables rendez-vous; le restaurent Bradley Ogden, en face, où nous avions, entre autres, célébré un des anniversaires de Viviane. À ma droite, les *Forums Shops*, combien de fois ai-je traversé cette fausse rue romaine. Ce n'est donc pas la première fois que je me retrouve assise dans cet escalier. Ce matin, je suis dans un tout autre état d'esprit car c'est aujourd'hui que le nom du spectacle *A New Day* prend tout son sens.

Depuis plusieurs mois, les préparatifs de la prochaine tournée mondiale vont bon train. Ces préparatifs ont chevauché les derniers mois du spectacle. Mon musicien accueille ce changement de vie d'un bon œil car, sédentaire depuis six ans, il a envie de reprendre une vie de nomade. C'est un retour aux sources pour lui. Et, en vérité, moi aussi je suis heureuse qu'il reprenne la route. La pause a été bénéfique pour notre couple mais le retour sur la route le sera tout autant! Revenir à un mode de vie plus stimulant. J'accueille aussi cette tournée avec grand plaisir car Viviane et moi (incluant les enfants) partirons plusieurs mois. Nous suivrons parallèlement la tournée. Notre itinéraire n'est pas encore défini. En vérité, il change tous les jours car nous arrivons difficilement à choisir parmi autant de destinations. La planification de ce voyage prend beaucoup de mon temps, je suis excitée à l'idée de partir si longtemps.

Ce sera à mon tour maintenant de n'être qu'une simple touriste! Ce périple repousse aussi (et surtout) mes inquiétudes concernant mon avenir, moi qui n'ai pas la moindre idée de ce que je ferai à mon retour. Je me sens revenir à la case départ. Après avoir finalement réussi à être active dans cette ville, je me retrouverai devant l'inconnu. Mon anxiété reprend le dessus, plus sérieusement, cette fois, car je sais que, pour l'instant, Montréal n'est pas une option. Je mise donc beaucoup sur ce voyage, il devra m'aider à faire le point. Il devra éclairer mon chemin car en ce moment, tout me semble nébuleux. Je reviendrai certainement avec un plan, me dis-je, pour me convaincre. Je peux donc mettre mon anxiété de côté et profiter pleinement de mon voyage. Je m'imagine déjà très bien à méditer sur mon futur, allongée sur une magnifique plage. Ce voyage devra donc être intérieur aussi. Dans quelques semaines, je serai dans l'avion, en route vers notre première destination : l'Australie. Cinq longs mois à me laisser aller au gré des vents et marées, cinq longs mois à jouir de la vie comme j'aime tant le faire, et bien sûr, cinq longs mois pour penser à la suite! Las Vegas, à bientôt.

Las Vegas, prise deux!

Debout, dans ma cuisine, je fixe le bout du comptoir. C'est que, depuis hier matin, y trône une carte postale en provenance de Nice, France. Une belle carte postale, la mer, le ciel bleu et de grands voiliers qui avancent, majestueux et forts, voiles tendues. Cette carte, je l'attendais car je l'ai moi-même mise à la poste, elle est de moi à moi. Au verso, une phrase « À toi de jouer, maintenant! ». Après avoir parcouru des milliers de kilomètres et visité plusieurs pays; l'Australie, l'Italie, la France, l'Angleterre, l'Irlande, la Suisse, je suis de nouveau en France, Nice. La mer avant le désert. Je pars pour Las Vegas demain. Je suis passablement inspirée pour écrire une telle phrase. Toujours sous le charme de ce long voyage, la tête pleine de souvenirs, les yeux remplis de paysages alors que mon cœur peine à contenir toutes ces nouvelles amitiés, ces rencontres faites en chemin.

Mais maintenant, dans ma cuisine de Las Vegas, cette phrase prend une tout autre dimension, elle me ramène à la réalité. Lors de mon retour chez moi, des changements m'attendaient. Durant le voyage, nous avions prêté la maison et en échange les gens prenaient soin des chats. Résultat : un chat mort et l'autre, à moitié mort. Trois semaines après mon départ, le diabète aura eu raison d'Azrael, mon vieux chat de 14 ans. Je retrouvais aussi mon autre chat, Gargamel, amaigri et terriblement mal en point. Ses reins ne fonctionnaient à peu près plus et j'allais le perdre aussi. Heureusement, le traitement a fonctionné et Gargamel a repris, sans jeux de mot, du poil de la bête rapidement.

Outre, Azrael parti et Gargamel maintenant bourré de médicaments, ma maison me semble étrangère. En effet, je ne retrouve à peu près rien car la maison a été revisitée! Par exemple; dans le salon les carpettes ont disparu (maintenant rangées dans le garage?!). Sous les grandes fenêtres du salon, le vase, posé normalement au bout de la grande table de bois, est maintenant au milieu. C'est en le déplaçant pour le remettre à son endroit original, que j'ai découvert que sa relocalisation servait plutôt à cacher un dégât. Dans la cuisine, le contenu de certains tiroirs a changé de place et idem pour la vaisselle dans les cabinets. Dans ma salle de bain, le contenu de ma pharmacie a été transféré dans la pièce voisine et certains articles personnels ont atterri dans des tiroirs que je n'utilisais pas auparavant.

J'ai donc passé plusieurs semaines à remettre mes choses en place ou, dans certain cas, vivre avec ces nouveaux changements. Entre temps, la tournée mondiale de Céline amorce sa portion nord-américaine, mon musicien sera encore huit mois sur la route avant le dernier spectacle. Je suis donc seule à la maison pour un bout de temps. J'avais collé ma carte postale, maintenant devenue déprimante, dans la cuisine. Comme j'y passais beaucoup de temps à y chercher quelque chose, elle était toujours dans mon champ de vision. Nul besoin de me relire car ces mots, je les avais toujours en tête. Cette phrase inspirante qui devait m'orienter pour la suite. Et de l'inspiration, j'en avais besoin car Las Vegas avait changé. Les lumières des casinos étaient soudainement beaucoup moins éblouissantes, l'opulence et la démesure ont de moins en moins leur place.

Moi qui ai connu cette ville dans toute sa grandeur et sa splendeur, j'entrevoyais, pour la première fois, sa fragilité. Frappée de plein fouet par la crise économique, Las Vegas a perdu le souffle et ne le recouvre que très lentement. Crise anticipée, il est anormal de vivre autant au-dessus des ses moyens sans, il me semble, se poser aucune question quant à la pertinence de vivre d'une façon aussi précaire. La situation se dégrade rapidement, petits et grands détaillants ferment leurs portes. Des concessionnaires automobiles (qui normalement règnent ici en maîtres) disparaissent. Les casinos licencient des milliers de personnes à la fois. La construction de nombreux complexes immobiliers et casinos annoncée ne verra pas le jour. Des chantiers rendus à mi-chemin, arrêtés. Les rares projets où l'on voit les grues qui s'affairent encore, ont de la difficulté à trouver l'argent nécessaire pour être achevés.

Le marché immobilier résidentiel de Las Vegas est l'un des pires au pays. Notre maison, par exemple, avait doublé de valeur après la première année. Sept ans plus tard, elle est revenue au prix où nous l'avions payée. Beaucoup de gens, incapables de payer leurs versements hypothécaires, remettent leur maison aux nombreuses banques. À condition que celles-ci ne fassent pas, elles aussi, faillite. Au moment d'écrire ces lignes, les « reprises de finance » pouvaient atteindre une vingtaine de maisons par jour, sinon plus. Tous les quartiers ont été touchés. Facile d'identifier ces maisons, l'eau y est très rapidement coupée. Sans eau, l'aménagement paysager se dégrade, la verdure disparaît, tout meurt. Par mesure de sécurité, les piscines doivent être vidées. Celles qui n'ont pas été vidées voient leur eau virer au vert, stagner. Ces maisons visiblement abandonnées sont la cible de vandalisme ou de vol.

De vol, à condition qu'il reste quelque chose à voler. Les propriétaires récupèrent tout ce qu'ils peuvent (four encastré, ventilateurs, lavabos, robinetterie, persiennes, luminaires et parfois même les portes intérieures) avant de quitter.

J'ai personnellement vécu l'impressionnante chute d'une amie. Grande maison luxueuse, voitures hors de prix, vêtements, accessoires griffés, sans compter les bijoux! Elle était aussi propriétaire de quelques maisons locatives. Un train de vie effarant, chaque jour était une fête, elle ne se privait de rien, se montrant très généreuse avec son entourage. Œuvrant dans le milieu immobilier, elle a été directement atteinte par la crise. J'ai souvent essayé de lui dire de faire attention, de planifier pour le futur pendant que ça allait bien, rien à faire. Le boulot devenait instable, mais son rythme de vie demeurait inchangé. L'argent s'est fait sérieusement plus rare. La Rolls Royce vendue pour une bouchée de pain. Quelques bijoux sacrifiés qui n'achètent que peu de temps. Perdue, la grande maison de luxe ainsi que les deux maisons locatives. Dans la faillite, elle a tout de même réussi à garder une petite maison. Une petite Mercedes (!!) qu'elle garde dans un bien petit garage. Elle peste contre ses nouveaux planchers de vinyle et ses armoires en mélamine. Ses nombreux meubles sont beaucoup trop gros pour cette maison. Plus de piscine non plus, ni de barbecue encastré. Aucune assurance santé, il va s'en dire. Mes nombreuses tentatives pour qu'elle reste positive s'avérèrent un tour de force, la soutenir devint de plus en plus difficile. Elle sombrait rapidement dans la dépression, l'alcool et les pilules. Un soir, assise sur son lit, elle a pris l'arme à feu, l'a placée sur sa tempe et a appuyé sur la gâchette. Il manque une balle dans le fusil, celle qu'elle vient de tirer. Son mari a fait éruption dans la chambre et l'a désarmée.

Suivra un séjour à l'hôpital de plusieurs jours. Plus d'alcool, une nouvelle médication et la découverte de Dieu. Elle n'est malheureusement pas la seule dans cette situation. Ils sont des centaines de milliers. Ils sont aussi des centaines de milliers à se battre, à ne pas baisser les bras. À garder, coûte que coûte, cette maison, voiture, assurance santé, etc. Des groupes d'entraide se forment un peu partout. Les gens donnent du temps, de l'argent, de la nourriture. Certains travaillent à deux ou à trois endroits. Les temps sont difficiles, le pire taux de chômage du pays est à Las Vegas. Mais il y a de l'espoir, car les États-Unis viennent d'élire un nouveau président.

Yes we can!

En cette matinée du mois janvier 2008, il fait froid, le ciel est gris et le vent nous tourmente. Avec un ami, j'ai traversé la moitié de la ville pour assister au discours de ce candidat démocrate qui commence à se démarquer. Nous nous intéressons de plus en plus à lui et malgré le fait que ni lui ni moi ne pouvons voter, notre intérêt pour cette campagne présidentielle augmente tous les jours. Passés les détecteurs de métal, nous pénétrons dans la salle. Une petite scène, pas de podium et derrière lui, une bien petite équipe de bénévoles. Plusieurs rangées de chaises, toutes occupées. Nous restons debout, adossés au mur, mais tout de même proches de l'estrade.

Moi, qui ne suis pas groupie du tout, habituellement, j'ai mon appareil photo. Je ne sais pas combien de temps son discours a duré, j'ai perdu la notion du temps. Cet homme m'a littéralement subjuguée, comme son intelligence, son charisme exceptionnel, sa volonté de changement et surtout sa vision. À un moment, il nous a regardés pendant quelques secondes, un rapide coup d'œil. Je me suis retournée vers mon ami et lui ai dit :

« Il nous regarde, il nous a vus! Et lui, tout sourire, de me répondre :

– Ouais, c'est vraiment nous qu'il regardait! ».

Après le discours, mon ami a réussi à lui serrer la main et lui dire quelques mots. Plus fans que jamais, nous décidons de nous rendre à la porte qui se trouve derrière le centre communautaire pour l'attendre. Il n'y a que nous, quelques voitures de police, deux ou trois véhicules noirs et c'est tout. Après une heure d'attente, nous sommes maintenant gelés. Sort une mini-fourgonnette, toute simple, évidemment modifiée, sans vitres teintées. Il passe juste à côté de nous, il me voit, sourit. Je lui envoie la main, il me fait un signe et disparaît. Je suis sous le charme.

Durant les 10 prochains mois pas un jour ne passe sans que le nom de Barak Obama ne soit prononcé. Je regarde la télévision, les journaux et Internet. Des soirées entières à ne discuter que de politique. J'ai ma pancarte, mon macaron et mon t-shirt. Plusieurs Américains ne comprennent pas mon enthousiasme car je ne peux pas voter. D'accord, que je réponds, je ne peux pas voter mais je peux influencer ceux qui en ont le droit. Nous vivons un moment historique. Cette mobilisation de masse est tellement inspirante. Des témoignages apparaissent chaque jour sur Internet. Les gens s'identifient à ce qu'il représente. Ils affichent leur choix devant leur maison, sur leur voiture ou encore, portent des vêtements à l'effigie de Barack Obama.

On s'accroche à ces mots : espoir, changement et action. Ce slogan « *Yes, we can* » résonne à travers l'Amérique et bien au-delà de ses frontières. Le monde entier a les yeux rivés sur les États-Unis. Et moi je suis ici, témoin de la *Barack-o-manie* qui tous les jours prend de plus en plus d'ampleur. À trois jours de l'élection, Barack Obama sera ici, à Las Vegas. À 5 h 30 du matin, je suis devant la maison d'une amie. Nous voulons être arrivées avant 6 h, même si son arrivée, à lui, n'est prévue que pour 9 h. Cette fois, je sais qu'il y aura une immense foule. On oublie le centre communautaire, cette fois-ci, c'est plutôt sur un terrain de football que ça se passe.

Difficile de stationner la voiture, les gens forment déjà une queue longue de plusieurs kilomètres. Plusieurs en profitent pour vendre des produits dérivés. J'ai acheté un autre t-shirt que j'avais très envie de porter immédiatement. Donc, tout en faisant la queue, j'ai changé de chandail. Mon amie américaine m'a regardée et dit « Franchement, t'es tellement française! ». Malgré la foule, nous étions près du podium. Mes voisins de gauche sont venus de Los Angeles et ceux de droite de San Francisco. Derrière nous, des journalistes venant des quatre coins de la planète. C'est beau, c'est calme et énergisant. Je ne le vois pas faire son entrée sur la scène mais au rugissement de la foule, je sais! Un 45 minutes très émouvant. Tous ces milliers de visages tournés vers lui, les yeux remplis de lumière et d'espoir, tout le monde baigne dans cette énergie positive, serrés les uns contre les autres à s'approprier sa part d'histoire. Il est là, et nous y sommes tous ensemble pour la promesse d'un meilleur pays.

4 novembre 2008

J'achète du champagne, je suis surexcitée et anxieuse en même temps. J'arrive en fin d'après-midi chez un couple d'amis. J'aurais aimé assister à cet évènement avec mes amis proches mais Viviane, son conjoint et mon musicien sont à Chicago, à vivre l'évènement « *live* » au Grant Park.

J'arrive donc à suivre aussi en direct ce qui s'y passe via de nombreux messages texte. Je reçois aussi des appels de New York, San Diego et Montréal. Dans le monde, chaque personne retient son souffle où qu'elle soit. Je suis au téléphone avec mon musicien lors de l'annonce officielle de sa victoire. Je n'entends plus rien, que des cris de joie autour de lui. C'est les joues baignées de larmes que j'ouvre ma bouteille de champagne. Nous trinquons à la victoire, à l'avenir et souhaitons une Amérique ouverte. Pour la première fois depuis mon arrivé en en sol américain, je suis fière de ma patrie d'adoption. Fière qu'ils aient enfin choisi le changement au lieu de la peur. Cependant, sa venue n'est pas magique et il faudra du temps pour remettre ce pays sur ses rails. Las Vegas, destination touristique, est désertée. Les casinos accusent des pertes énormes qui se chiffrent en millions. Les conventions et les touristes se font plus rares, les machines à sous se taisent et ce, durant plusieurs mois. Bon nombre de Québécois se rendent encore à Las Vegas mais l'invasion, telle que je l'ai connue, est bel et bien terminée.

Or, Las Vegas ne se laissera pas abattre, les prix des chambres d'hôtels deviennent très attirants ainsi que ceux des vols d'avion et de plusieurs spectacles. Outre l'industrie touristique, dans la banlieue, les restaurants, commerces de détail et bars attirent la clientèle locale avec des offres alléchantes. Doucement, la ville reprend une certaine activité économique. Un nombre croissant de touristes refait son apparition et un semblant de normalité émerge enfin. Mais la pente reste difficile à remonter, les effets de la crise se font toujours ressentir.

Durant cette période, mon entourage vit, lui aussi, des chambardements. Avec l'approche finale de la tournée, plusieurs s'interrogent quant à leur avenir. Après un peu plus de six ans à Las Vegas, certains départs sont imminents, que ce soit pour le travail ou pour que les enfants puissent aller à l'école en français; pour vivre une vie plus urbaine, ou encore simplement retrouver les parents et amis. Les pancartes « à vendre » apparaissent devant la maison et plusieurs repartent. Une décision facile pour certains et plus difficile pour d'autres.

Viviane m'annonce sa décision de partir, elle aussi. Depuis cette annonce, je retiens mes larmes. Elle me retrouve dans la salle de bain, appuyée contre la porte, elle me dit que la décision n'est peut-être pas définitive, qu'il est encore temps de changer d'avis. Elle ne veut pas divorcer de moi! Je veux lui dire que je comprends, lui assurer qu'elle et son mari ont pris la bonne décision mais je n'y arrive pas. Son conjoint nous a rejointes, je les regarde tout les deux et j'entends les enfants au loin.

Une faille vient d'apparaître dans le désert. Des départs qui nous amènent à réfléchir quant à notre présence ici, sans Céline. Pour ceux qui ont décidé de rester, quelle qu'en soit la raison, nos liens déjà étroits se resserrent d'avantage. Je retrouve un peu ce sentiment d'insécurité que nous avons tous vécu à notre arrivée et qui nous a unis au-delà de nos racines québécoises. Je suis profondément reconnaissante d'avoir eu la chance de vivre cette expérience exceptionnelle avec un entourage aussi exceptionnel.

J'ai eu l'opportunité de remercier personnellement Céline. De lui faire savoir combien j'appréciais la chance que j'ai eue de la rencontrer. Que, grâce à elle et René, ma vie fut des plus douces. Elle m'a regardée et m'a simplement dit:

« De rien ma chouette, ça me fait plaisir! »

Personnellement, je ne sais pas ce que Las Vegas nous réserve et combien de temps nous y resterons. J'essaie de faire des projets mais sans grande conviction. J'ai bien envie de troquer la villa en plein désert pour une autre, au bord de la mer. San Diego m'attire. L'avenir n'est que confusion. Durant cette période, tout à fait par hasard, j'ai retrouvé, au fond d'un tiroir, mon cahier de notes. Mes premières impressions, nos premiers malheurs, nos premiers bonheurs. J'ai été frappée de constater tout le chemin parcouru depuis notre arrivée ici. Cette découverte m'aura finalement décidé à en reprendre la rédaction.

Les chroniques de Las Vegas venaient de naître.

Las Vegas, décembre 2009

Table des matières

Prologue 7

Hiver 2002 8

C'est « ça », Las Vegas? 11

Las Vegas 13

À la recherche de ma « villa » 17

Las Vegas, c'est comme ça! 19

Tribulations aux douanes américaines 27

Le Nouvel An à Las Vegas 35

Les soins de santé Made in USA 40

Las Vegas s'en va-t-en guerre 44

Le spectacle se prépare 49

La vie de tous les jours et... les amies 52

A New Day 60

¿Habla español? 64

Seule à LV 69

En retraite, malgré tout 72

De quoi m'occuper 76

Un véritable B & B 80

Las Vegas, son histoire 83

Garder l'équilibre au quotidien dans cette démesure 86

Les Québécois à Las Vegas 93

Viviane....................99
Retours à Montréal....................102
Quand les douanes mènent au mariage!....................108
Mon accent....................112
LV, les armes et la violence....................118
Une agression....................120
Un ami soldat....................127
Comme un tourbillon....................131
16 décembre 2007....................132
Las Vegas, prise deux!....................136
Yes we can!....................141
4 novembre 2008....................144

GROUPÉDITIONS

Autres ouvrages publiés dans la collection Faits vécus

L'autisme n'est pas irréversible, comment mon fils a été guéri
Évelyne Claessens
Groupéditions Éditeurs 2009

Mon livre noir de la CSST
Linda Normandin
Groupéditions Éditeurs 2010

Marquis imprimeur inc.

Québec, Canada
2010